틀이로프 이솝우화

트이로프 이솝우화

초판 인쇄 2003년 10월 10일
초판 발행 2003년 10월 21일

지은이 | 로버트 짐러
옮긴이 | 김정우

펴낸이 | 김영호
펴낸곳 | 함께읽는책
주   소 | 서울시 관악구 신림1동 1631-19 평희빌딩 2층
전   화 | 02-852-7845
팩시밀리 | 02-839-7846
cobook@cobook.co.kr

@ 저작권 사용허락을 받기 위해 노력했으나 연락이 되지 않아 추후에 조치하겠습니다.

값 7,500원
ISBN 89-90369-21-5 03840

"늑대다! 늑대!"

키ㅇ돝ㅍ 이솝우화

로버트 짐러 지음 김정우 옮김

함께읽는책
COBOOK

내 아내와 아이들에게 바친다.
그네들의 끊임없는 '도움'만 없었다면,
이 책은 훨씬 더 빨리 이 세상의 빛을 볼 수 있었을 것을!

해제와 경고

약국에서 약을 사면 으레 복용자가 지켜야 할 '주의 사항'이 적힌 종이쪽지가 약병에 붙어 있다. 다음에 이어지는 이야기도 그런 종이쪽지와 마찬가지로 이 책을 읽을 독자를 위한 경고용 글이다.

내가 이 책의 저자인 트이로프 교수를 만난 것은 한 3년 전쯤 비엔나에서였다. 그때 휴가를 보내고 있던 나는 아는 친구들 몇을 방문하고 있었는데, 그 친구들이 교수를 소개해 준 것이다. 트이로프 교수는 상당한 명망을 얻고 있는 정신분석가로서, 사람들의 말에 따르면 지그문트 프로이트가 가장 아낀 제자였다고 한다. 전문가의 입장에서 교수가 내리는 심오하고 권위 있는 진단에 나는 깊은 감명을 받았으며, 온화하면서도 기품 있는 몸가짐에 완전히 넋을 잃을 정도로 홀딱 반하기까지 했다.

내가 글을 쓰는 작가라는 사실을 알게 된 트이로프 교수는 비엔나를 떠나기 한 이틀 전쯤에 개인적으로 나를 찾아왔다. 교수는 벌써 여러 해 동안이나 심리 분석이 거둔 빛나는 성과를 어떻게 하면 일반 대중에게 훨씬 쉽게 알릴 수 있을까를 고민해 왔다고 했다. 그러다가 일종의 영감으로 〈이솝우화〉를 자기가 생각하고 있는 목적에 맞게 개작하면 어떨까 하는 구상을 하게 되었다고 했다. "초기 기독교 시대에 크리스천들이 교리의 전파를 위해서 〈이솝우화〉를 개작한 일이 있었소." 트이로프 교수는 이렇게 열변을 토하는 것이었다. "그런데 인간이 가진 정서적 본능에 관해서 많은 사실이 새로 발견된 이 시점에서 그 성과를 반영할 수 있도록 이 〈이솝우화〉가 다시 집필되는 것이야말로 어쩌면 지극히 당연한 일이 아니겠소?"

교수는 자기의 계획에 커다란 장점이 있다고 했다. 말하자면 부모가 자녀들에게 이 새로운 우화를 읽어 주면 자연히 두 세대가 우화의 교훈을 동시에 얻을 수 있다는 것이었다. 그리하여 교수는 자기의 원고를 미국으로 가져가서 적

당한 출판사를 알아봐 달라고 부탁했다. 사실 내 유일한 출판계 연줄은 수학 관련 출판사뿐이지만, 그처럼 보람 있는 일을 도와줄 수 있다는 게 나로서는 그저 반갑고 기쁠 따름이었다.

미국에 돌아오고 나서 얼마 안 있다가 나는 비엔나의 친구들에게서 깜짝 놀랄 만한 편지 한 통을 받게 되었다. 트이로프 교수가 거물 사기꾼으로 체포되었다는 소식이었다. 교수는 정신분석가도 아닐 뿐더러 이름까지도 가짜라는 것이었다. 그리고 보니 **'프로이트'**를 거꾸로 하면 **'트이로프'**가 되는 게 아닌가! 편지에 동봉된 신문기사 조각을 보니 더욱 가관이었다. 트이로프 교수는 수많은 여자 환자들의 감정을 교묘하게 부추겨서 여인네들을 금전적으로 이용해 먹었다는 것이다. 오스트리아 형법에 나와 있는 범죄 조항 거의 전부를 망라하다시피 한 무시무시한 기소장에 대한 재판이 후다닥 종결되고, 교수는 30년 징역형을 선고받았다(이 재판에 언론의 취재는 허용되지 않았다고 한다). 형량이 이처럼 무거워진 것도 모름지기 피해자들 가운데 장관 부인이 한 사람 끼어 있었다는 소문으로 미루어 설명이 될 수 있으리라.
나는 즉시 짧고 정중한 내용을 담은 메모 쪽지와 함께 비엔나에서 받았던 원고를 교수에게 돌려보냈다. "이렇게 된 마당에 선생의 책이 출간되기를 바라진 않으시겠지요." 그런데 형무소 당국이 원고를 교수에게 전달하지 못하겠다는 것이었다. 형무소의 규정상 재소자에게는 간단한 편지만 반입을 허용한다는 설명이었다(최근에야 나는 진상을 알게 되었다. 그러니까 당국자들은 그 원고를 받아 면밀히 조사한 끝에, 그 원고가 매우 공들인 고도의 암호문으로, 자기들로서도 해독은 어려웠지만 어쨌든 트이로프의 탈주 계획임이 분명하다는 결론을 내렸다는 것이다!).

그래서 나는 그 원고를 그냥 책상 서랍 속에 처박아 두었다. 몇 달 전까지만 해도 물론 그런 상태 그대로였다. 그러다가 열여덟 살 된 어떤 아가씨한테서 애절한 편지 한 통을 받았다. 자기는 트이로프 교수의 사생아로서 유일한 혈육이며, 교수는 감옥에서 막 운명했다. 유산이라고는 그 원고뿐이다. 애원이니 아버지의 책이 출간될 수 있도록 다시 한 번 힘을 써달라. 책에서 얻게 되는 자금으로 미국에 와서 유명한 배우가 되고 싶다는 등등의 내용이 적혀 있었다(동봉한 사진을 보니 이 불행한 아가씨는 만 명에 하나 나올까말까 한 엄청난 미인이었다!).

그래서 이러지도 저러지도 못하는 곤경에서 어떻게든 벗

어나 보려고 몇몇 사계의 권위자들에게 원고를 보내 보았다. 그랬더니 뜻밖에도 이 우화 모음이 어른은 물론 아이들에게도 대단히 유익한 '약'이 될 수 있다고 모두들 한목소리로 인정하는 것이었다. 물론 '과용만 하지 않는다면'이라는 단서가 붙어 있었지만 말이다. 그리하여 나는 홀가분한 기분으로 이 책의 출판이 무리한 일이라는 생각을 떨쳐버릴 수 있었다.

여기에 강조해 두지만, 심각한 정서 장애가 있거나, 이 책의 '복용'에도 불구하고 정서적인 불안이나 고민이 호전되지 않을 경우에는 이 책의 '복용'을 중단하고 전문가를 찾아가서 상담을 하시기 바란다. 그럴 경우에도, 이 책을 돈 주고 산 일이 따스한 마음씨를 가진 한 아름다운 여배우를 재정적으로 후원한 셈이라고 생각하면 그다지 억울한 기분도 들지 않을 것이다. 아무리 저명한 작가의 책을 샀을 때라도 이만한 보람은 느끼기 어려울 테니 말이다.

로버트 짐러

'늑대다!' 소리친 소년

어렸을 때 어찌어찌하다가 받은 정신적
쇼크 때문에 거의 강박적으로 거
짓말을 하는 한 소년이 있었다.
사람들은 소년의 거짓말이 너
무 상습적이었기 때문에 무슨

일을 맡겨도 도무지 미덥지가 않았다. 그래서 생각다 못한 동네 사람들이 설마하니 이런 큰 거짓말이야 하겠냐 싶어서 맡긴 임무가 양떼를 지키는 일이었다. 헌데 소년은 새로 생긴 이 일이야말로 거짓말 솜씨를 신나게, 마음껏 발휘할 수 있는 기가 막힌 기회라고 생각했다. 소년은 꼭 늑대가 양떼를 공격하고 있기라도 한 것처럼 목청껏 "늑대다! 늑대!"하고 외쳤다.

동네 사람들은 소년의 고함소리를 듣고 부랴부랴 양떼가 있는 곳으로 달려왔다. 하지만 늑대는 고사하고 늑대 그림자도 구경할 수 없었다. 얼굴이 빨개지기는커녕 오히려 동네 사람들을 꾸짖는 투로 소년이 말했다.

"왜 그렇게 오래 걸렸어요? 혼자서 늑대를 쫓아내다 물려 죽을 뻔 했잖아요."

다음날 또 양치기 소년은 거짓으로 "늑대다! 늑대!"를 외치고, 사람들은 또 헐레벌떡 소년을 구하러 달려왔다. 물론 늑대는 안 보였다. 어, 이것 봐라? 그제서야 사람들은 이 녀석이 옛날 거짓말 버릇이 다시 또 도진 게 아닌가 하고 의심을 하기 시작했다. 그러자 소년은 사람들의 의심이 싹 가실 정도로 오히려 당당하게 선언하는 것이었다.

"정말 자꾸 이렇게 어슬렁어슬렁 오시면 나도 이 일을 그만두겠어요. 날마다 난 혼자서 무시무시한 맹수들과 싸우느라고 거의 목숨을 걸다시피 하고 있는데, 어르신들은 그저 소풍 오는 식으로 오시면서 여기도 잠깐 멈춰서 꽃도 꺾고 저기도 잠깐 멈춰서 경치도 구경하고 그러시니 말입니다."

소년의 말에 기가 질린 마을 사람들은 다음에는 진짜 신속하게 달려오마고 약속했다. 그런데 바로 그날 밤 늑대들이 새까맣게 몰려와서 양떼를 공격했다. 이쪽 저쪽 사방에서 "늑대다! 늑대!" 난리였다. 그동안 은근히 그 거짓말쟁이 소년에게 미안한 마음을 품고 있던 동네 사람들은 다른 양치기들의 고함소리는 싹 무시하고 오직 그 거짓말쟁이 양치기만을 구하러 바삐 뛰어갔다.

동네 사람들의 재빠른 행동 덕분에 그 양치기 소년과 거기 있는 양떼만은 아무 탈이 없이 무사할 수 있었다. 하지만 다른 곳의 피해는 엄청났다. 어떤 책임감 강한 양치기 하나는 자기 양들을 지키다가 그만 심하게 물린 끝에 광견병(개의 조상이 늑대라던가?)에 걸려 엄청나게 고통스럽고 상상하기조차 끔찍한 죽음을 맞지 않으면 안 되었다.

■ 순진한 사람만이 미안한 감정을 느낄 여유가 있다

거북이와 토끼

　대단히 공격적이고 뻐기기 잘하는 성격을 가진 파격적인 거북이가 토끼한테 달리기 경주를 하자고 도전장을 냈다. 토끼는 그저 거북이의 자만심을 비웃어 주기만 할 따름이었다. 그러나 거북이가 "너, 경주에 질까 봐서 그러는 거지?" 하고 토끼의 자존심까지 건드려 가면서 집요하게 붙들고 늘

어지자 마침내 토끼도 시합에 동의하고 말았다.

공정하기로 소문이 자자한 올빼미가 심판으로 선정되고, 구체적인 코스도 결정되어 모든 준비가 완료되었다. 숲속에 있는 작은 동물들이 모두 경기를 구경하러 몰려나왔다. 출발을 알리는 신호가 울리자 토끼는 마치 화살처럼 튀어나갔으나, 거북이는 온 힘을 다해도 한 뼘 정도 앞으로 전진할 수 있을 따름이었다.

까마득하게 뒤에 처진 거북이를 보고 난 토끼는 자신의 승리를 확신하고 잠시 시원한 나무 그늘 아래서 쉬었다 뛰기로 했다. 그러곤 곧장 깊은 잠에 빠져들었다. 한숨 잘 자고 나서 눈을 떠 보니 아직도 거북이는 시야에 들어오지 않았다. 그래서 토끼는 여유 있게 점심식사까지 마칠 수 있었다. 디저트로 맛난 딸기까지 한 움큼 따던 토끼는 아주 예쁜 암토끼를 만나서 또 한동안 즐거운 정담을 나누었다.

그러는 동안에 거북이는 조금도 쉬지 않고, 어디다가 한 눈 한 번 안 팔고 계속해서 타박타박 걸었다. 그날 저녁 늦게 토끼가 낮에 만난 연인에게 한참 열을 올리느라 정신이 팔린 사이에 거북이는 결승선을 통과했다. 모든 관중 앞에서 올빼미는 거북이를 공식적인 승자로 선언했다.

한껏 승리감에 도치된 거북이는 모여 있는 동물들한테 토끼 대신 자기를 전령으로 뽑아 달라고 했다. 그러나 동물들의 대답은 한결 같았다. "너 혹시 어떻게 된 거 아니니? 마음만 먹으면 언제든 토끼가 너보다 훨씬 빨리 달릴 수 있다는 건 천하가 다 아는 사실 아니니? 너만 빼놓고 말이야."

■ 할 수 있는 자는 굳이 할 필요가 없다

사자와 생쥐

    자기밖에 모르는 종족 특유의 이기적 성향을 가진 사자 한 마리가 사냥꾼들한테 잡혀서 굵은 밧줄로 꽁꽁 묶였다. 성난 사자의 포효를 듣고서 생쥐 한 마리가 쪼르르 달려왔다.

    남을 도울 수 있다는 뿌듯함에 커다란 자부심을 느낀 생쥐는 왜소한 자기 몸집도 잠시 잊고 동정심을 듬뿍 담은 목

소리로 물었다. "어디 상한 데는 없으신가요? 뭐 좀 도움이
될 일이라도……?"

"가, 임마! 딴 데 가서 알아보든지 말든지 해!" 사자가 으
르렁거렸다. "제길, 가뜩이나 골치가 아파 죽겠는데, 나뭇
조각이나 갉작대는 너처럼 조그만 녀석하고 시시한 이야기
나 하고 있을 시간이 어디 있냐?"

"문제가 뭔데요?" 사자의 무례한 말씨에 조금도 언짢아
하지 않고 생쥐가 끈덕지게 물었다. "그냥 남들을 돕는 일
이 좋아서 그러는 거라고요."

"난 또 그냥 머리만 멍청한 줄 알았는데 이제 보니까 눈까지 멀었구나." 사자가 성이 나서 씨근거렸다. "자, 봐. 지금 난 여기 이렇게 꼼짝없이 묶여서 동물원에 끌려갈 때만 기다리고 있는 형편이라고. 거기 가서 여생을 우리 안에 갇힌 몸으로 보내게 될 거란 말이야. 임마, 나 같은 천하장사도 어떻게 해 볼 도리가 없는데 너 같은 녀석이 날 도와준다니 내가 얼마나 가소롭겠니?"

"아하, 그 정도라면야." 생쥐가 따뜻한 어투로 말했다. "걱정 마세요. 금방 밧줄을 쏠아서 끊어줄 테니 두고만 보세요."

앞니까지 두세 개씩 상해 가면서 한참을 고생한 끝에 생쥐는 마침내 튼튼한 밧줄 하나를 다 쏠아 끊어버리는 데 성공했다. 그리하여 사자는 남아 있는 밧줄을 끊고 자유의 몸이 되었다.

"오, 이보게 친구!" 사자는 거의 울기 일보직전이었다. "자네가 내 목숨을 구해 주었어. 평생 그 은혜는 잊지 않겠네. 자, 같이 가세. 평생토록 편안히 살게 해줄 테니."

26

"아, 뭘 또 그런 걸 가지고 그러세요. 별 것도 아닌데요."
상당히 우아한 척하는 생쥐의 말이었다.

그래도 사자는 간절히 부탁했다. "정 그러면 우리 식구들이라도 감사 인사를 할 수 있게 해주게나."

생쥐가 좋다고 하자 사자는 이내 가장 폭신폭신한 갈기를 골라 생쥐를 앉히고서 숲속으로 달려갔다.

사자 가족들은 죽은 줄로만 알았던 가장이 다시 살아 돌아온 걸 보고 뛸 듯이 기뻐했다. 서둘러 생쥐를 주빈으로 모시고 성대한 잔치를 벌였다.

아뿔사, 그런데 사건은 엉뚱하게도 이상한 데서 일어났다. 발효한 코코넛 주스를 홀짝거린 게 화근이었다. 기분이 알딸딸해진 생쥐가 이 손님 저 손님 붙들고 막 떠벌리고 다녔으니 어떻게 되었겠는가?

"저 좀 보세요. 선생도 저 얼간이 하는 꼴을 봤더라면 아마 가관이었을 겁니다. 저 바보가 글쎄 힘만 셌지 밧줄에 묶이니까 무서워서 벌벌 떨기만 하더라 이 말입니다. 그래서 내가 풀어 줬지요. 그러니까 완전히 죽을 목숨 하나 살려 줬다 이거죠."

　이 말을 들은 사자는 미처 앞뒤 가릴 것도 없이 그 무시무
시한 발을 들어 은인을 내리쳤다. 호떡보다도 더 납작해진
불쌍한 생쥐의 시체는 벌판에 던져져 개미들의 먹이가 되고
말았다.

■ 그대의 호의를 받아들여 주는 사람들에게 감사한 마음을 가지라

벌과 벌새

누가 먼저 꽃밭을 찾아냈는가를 놓고 벌새 한 마리와 벌 한 마리가 논쟁을 벌이고 있었다. 먼저 찾아낸 쪽이 그 꽃밭 전체의 꿀을 빨 수 있는 권한을 갖게 되기 때문이었다. 한참 을 옥신각신한 끝에 분을 이기지 못한 벌이 침으로 상대를 찌르려 했다.

"이 멍청한 벌레야!" 벌의 무기를 슬쩍 피하면서 벌새가 말했다. "나를 찌르고 나면 너도 죽게 된다. 죽고 나면 꿀이 다 무슨 소용이냐고!"

잠시 멈칫하더니 벌이 물었다. "죽어? 죽는 게 뭔데?"

벌이 정말로 그 말뜻을 모른다는 사실을 알고는 벌새가 대답해 주었다. "그러니까 말이다. 죽는다는 건 다시는 아름다운 경치도 못 보고, 향기로운 꽃 내음도 못 맡고, 맛나는 꿀도 못 따고, 다른 친구하고 붕붕 수다도 못 떨게 된다는 뜻이야. 게다가 날지도 못하고 기지도 못하고 더듬이를 움직일 수도 없어. 그뿐인 줄 아니? 다리와 날개와 몸이 바슬바슬 말라서 결국에는 바람에 날려가고 마는 거야. 이걸 몰랐단 말야?"

"저런, 저런 끔찍해." 얼굴 근육이 경련을 일으킬 정도로 화들짝 놀란 벌이 얼른 벌통으로 날아 돌아갔다. 꽃밭은 그냥 벌새한테 넘겨주고서. 며칠 동안 벌통 한 구석에 웅크리고 틀어박힌 채로 벌은 먹지도 않고 동료들과 얘기도 하지 않았다. 어떻게 하든 죽는 것만 모면할 수 있다면 하고 벌벌 떨고만 있었다.

　그러다가 생각이 났다. 처음으로 그 말을 듣고 충격을 받았을 때, 죽음에 대해서 좀더 자세하게 알아볼 걸 그랬다는 생각이 난 것이다. 벌은 그 길로 벌집을 나와 벌새를 찾아 날아갔다. 자기한테 죽음을 가르쳐 주었던 스승을 만나자, 벌이 말했다. "지난 번에 만났을 때 스승님께서 죽음에 대해 알려준 충격적인 내용 때문에 그동안 몹시 괴로웠습니다. 그땐 너무 놀라서 더 물어본다는 걸 그만 깜빡했었습니다. 그래서 다시 이렇게 여쭤보는 겁니다만, 그럼 만일 제가 침을 사용하지 않으면 어떻게 되는 거죠? 그래도 죽어야 하는 건가요?"

　벌새가 하하 웃으면서 말했다. "너, 아주 대단한 충격을 받았던 모양이구나. 자기가 영원히 살지 못한다는 사실을 처음으로 알게 된 생물은 누구든 그런 충격을 받게 되지."

　"그럼, 죽음은 피할 수 없는 숙명입니까?" 벌이 물었다.

　"그렇다니까!" 한참 어리석은 질문에 짜증이 난 벌새가 툭 쏘듯이 대답했다. "하지만 네가 어떤 식으로 끔찍하게 죽을지는 미리 알 수 없어. 저녁 공기를 가르고 휘익 나타난 딱새한테 한입에 꿀꺽 삼켜질지도 모르고, 커다란 말벌이 너를 마비시켜 놓고 네 몸 속에 알을 낳으면, 알에서 깬 말벌 새끼들이 살아 있는 너를 야금야금 먹을지도 모르지. 그뿐이 아니야. 운이 나빠서 해충을 잡으려고 뿌려대는 살충제에 조금이라도 입이 닿으면 어떻게 되는지나 알아? 그땐 네가 가진 그 원시적이고 조잡한 신경이 느낄 수 있는 최대한의 고통 속에서 그냥 끽하고 마는 거야."

"설마 제가 파랗게 질리는 모습을 즐기려고 지어내신 이야기는 아니겠죠?" 벌이 되받아 말했다. "그렇다면, 어차피 죽을 목숨, 무의미하게 죽느니보다 나와 동족의 이익을 지키기 위해 침이라도 쏘고 죽는 게 낫겠군요."

"맞아, 바로 그거야." 벌새의 말이 끝나기가 무섭게 벌은 몸을 날려 침을 벌새의 목 정맥에 꽂아넣었다. 벌은 행복하게 죽어갔다.

■ 수단은 꼭 목적을 정당화해야 한다.

32

사자와 승냥이*와 여우

　　두 짐승 사이에 흔히 일어나지 않는 일이 벌어졌다. 사자
와 승냥이가 죽고 못 사는 막역한 친구가 된 것이다. 사자
에게 큰 병이 생기자, 친구인 승냥이가 안절부절 못했다.

....

*승냥이 : 개과의 짐승. 이리와 비슷하나 더 작고 꼬리가 긺. 성질이 사나우며 온 몸
　　　　에 황갈색의 긴 털이 나 있음.

승냥이는 그 길로 서둘러, 모든
동물들이 병문안을 오도록 알렸
다. 물론 성의껏 선물을 꼭
챙겨 오라는 말도 빼놓지
않았다.

숲속의 크고 작은 모든 동
물이 승냥이의 말에 따라, 사자
를 찾아와 저마다 한마디씩 빨리 쾌차하시라는 인사를 하고
갔다. 그런데 여우란 놈만은 나타나지 않았다. 승냥이는 못
마땅했다. 그래서 사자한테 이렇게 말했다. "아무리 제 놈
이 사자 너한테 관심이 없어서, 네가 어떻게 되든 신경을 안
쓴다고 해도 그렇지. 네가 누구야? 동물의 왕이잖아. 명색
이 동물의 왕인 너한테 의당 얼굴이라도 한번 비쳐야 도리
가 아니겠어? 이건 너를 아주 개 취급하는 태도라고."

승냥이의 이처럼 지나친 관심 표명이 사실은 사자 자신에
대한 잠재의식에서 나온 적대감을 은연중에 드러낸 것이라
는 점을 사자로서는 물론 알 도리가 없었다. 또한 승냥이의

적개심이 여우를 해치려 한다기보다 오히려 사자 자신의 마음의 평정을 겨냥하고 있다는 것도 당연히 알 턱이 없었다. 여우의 태도가 괘씸해진 사자는 승냥이더러 여우를 당장 자기 앞으로 끌고 오라고 했다.

여우가 도착해서 보니 사태를 대충 짐작할 수 있었다. 그래서 이렇게 말했다. "늦게 온 건 대단히 죄송합니다. 하지만 전 저 나름대로 사자님을 위해서 열심히 무언가를 하고 있었습죠. 잘 아시겠지만 저는 단순히 세 치 혀로 동정이나 하고 간단한 선물 따위로 경의나 표시하는 그런 놈이 아닙니다. 절대, 절대 아닙지요. 사실은 지금까지 의사란 의사는 죄다 찾아다니면서 이리 뛰고 저리 뛰면서 발바닥이 다 닳도록 사자님의 병을 치료할 수 있는 구체적인 약이 무엇인지를 알아보고 다녔습니다. 해서 승냥이가 저한테 왔을 땐 이미 제가 구한 좋은 소식을 가지고 사자님께 서둘러 오려던 참이었습니다."

"어이구, 너야말로 진짜 내 친구로다!" 너무나 기뻐서 사자의 목소리가 천둥소리처럼 커졌다. "그럼 어서 빨리 그 처방을 말해 봐라. 내 병이 나을 수 있다는데 어찌 한 시각인들 아깝지가 않겠느냐?"

"그럼 좋습니다. 말씀을 드리지요. 좀 이상하게 들리실지 모르지만 이건 전문의의 처방이니까 절대 틀림이 없습니다." 여우의 대답이 이어졌다. "간단합니다. 승냥이를 산 채로 잡아 요리를 해서 국물 한 방울도 남기지 않고 잡수시면 됩니다."

그간의 우정을 봐서라도 어떻게 그럴 수가 있느냐고 허겁지겁 손을 내저으며 물러서는 승냥이의 애절한 항변에도 아랑곳하지 않고, 사자는 곧장 승냥이를 산 채로 뜨거운 물통에 집어넣고 팔팔 끓이기 시작했다.

■ 친구란 아직 본색을 드러내지 않은 적일 따름이다

당나귀와 애완견

　한 장돌뱅이가 떠돌이 장사를 마치고 집으로 돌아오는 길
에 아내한테 주려고 귀여운 애완견 한 마리를 사 가지고 왔
다. 이 안주인은 남편의 선물을 기쁘게 받아서 항상 강아지
를 자기 무릎 위에 앉혀 데리고 놀면서 맛난 것들로 배를 채
워 주었다.

강아지를 끔찍이 위해 주는 모습을 지켜보던 당나귀는 은근히 질투심이 솟아올랐다. 그래서 아무도 없으면 혼자서 중얼거리곤 했다. "난 지금까지 불평 한 마디 안 하고 주인님의 그 무거운 짐을 다 지고 다녔다. 헌데 돌아오는 것이라곤 고작 마구간의 더러운 지푸라기 침대와 양에 차지도 않는 여물뿐이니. 그렇다, 여기서는 정직한 노동보다 애교나 떠는 게 더 대접을 받는구나."

그리하여 당나귀는 집안으로 들어가서 안주인의 무릎 위로 휙 뛰어올라 '이히힝!' 하고 멱따는 소리로 말도 안 되는 어리광을 부렸다. 안주인은 안타깝게도 너무 놀라 정신을 잃었을 뿐만 아니라, 심한 타박상까지 입어서 멍을 가라앉히자면 몇 주일이 걸릴 지경이 되었다. 당나귀는 맛난 음식 대신에 무지막지한 몽둥이 세례만 죽도록 받았다.

■ 애완견은 '애완' 용이다.

늑대와 어린 양

굶주린 늑대 한 마리가 시냇가에서 물을 마시고 있는 어린 양을 만났다. 바로 잡아먹자니 어쩐지 양심에 찔리는 느낌이 든 늑대는 어린 양을 잡아먹을 수 있는 뭔가 그럴 듯한 명분을 꾸며내고자 했다.

생각 끝에 늑대는 어린 녀석이 맑은 시냇물을 진흙탕으로 만들고 있다고 나무랐다. 그렇게 더러운 물을 자기가 어떻게 마실 수 있겠느냐고 말이다. 그러자 어린 양은 멋모르고 발칙하다 싶을 정도로 불손하게 자신의 결백을 주장했다. "그렇지 않아요. 저는 지금 시냇물의 하류 쪽에 있고요, 물은 늑대 아저씨가 있는 쪽에서 제 쪽으로 흐르고 있어요. 그러니까 아저씨 쪽은 물이 깨끗하잖아요!"

"그래? 그럼, 그건 그렇다 치고, 넌 임마, 돌아가신 어르신께 너무 무례했어. 작년에 사냥꾼의 총에 맞아서 우리 아버지가 돌아가셨을 때, 넌 분명히 우리 아버지를 비웃었어."

걸음아 날 살려라, 하고 얼른 도망을 쳐도 모자랄 판에 어린 양은 바보 천치처럼 논쟁을 계속하는 것이었다. "아저씬 셈도 못하시나 봐. 전 그때 아직 태어나기도 전이었어요." 늑대의 어리석음에 마치 화가 났다는 듯한 어린 양의 항변이었다.

"너는 다른 양들과 함께 공동 풀밭을 뜯고 있어. 그러니까 우리가 가장 존중해 마지않는 사유재산권 제도를 전복하려는 공산주의자가 아니고 뭐란 말이냐?" 이젠 진짜로 화가

난 늑대가 소리쳤다.

"우리 아버지와 어머니는 '반공 연맹' 회원이에요. 저도 크면 거기 가입할 거라고요." 어린 양이 자랑스럽게 쓸데없는 말을 주절거렸다.

"난 이제 너처럼 자기만 잘났다는 위선자 녀석을 더 이상 용서할 수 없어. 너같이 잘난 척하는 녀석들만 없어도 이 세상이 훨씬 살기 좋아진다, 임마!"

늑대는 말을 마치기가 무섭게 어린 양을 덮쳐서 뼛조각 하나 남기지 않고 깨끗하게 먹어 치웠다. 이제 양심의 가책으로 인한 심인성 소화불량의 복통 같은 증상은 흔적도 없이 사라진 지 오래였다.

■ 이유나 구실은 자신을 속이기 위해서 남들에게 늘어놓는 말이다

귀뚜라미와 개미

여름과 가을을 지내는 동안 양식을 차곡차곡 비축해 두지 않았던 귀뚜라미는 겨울이 닥쳐오자 배가 고파 죽을 지경이었다. 귀뚜라미는 그래서 개미네 집으로 찾아가서 먹을 걸 좀 나눠 달라고 간청했다.

입구를 지키고 있던 경비원 개미는 귀뚜라미를 그냥 돌려

42

보낼 구실을 열심히 찾았다. "우리처럼 열심히 일을 했으면 지금 이렇게 배가 고프진 않았을 것 아냐. 근데 하라는 일은 안 하고 열심히 일하는 우리를 비웃고 말이야, 세월아 네월아 시간 가는 줄도 모르고 시끄럽게 깽깽이나 켜댔으니 그 꼴이지. 배에서 꼬르륵 소리가 나도 싸지 싸."

"아니, 적선이 하기 싫으면 안 하면 그만이지, 왜 남의 음악에다 대고 이러쿵 저러쿵 비난을 하는 거지? 자네한테는 그저 한 번 '귀뚤'하는 정도로 들리는 소리도 사실은 세 개나 되는 음을 바이올린으로 켠 절묘한 연주란 말이야. 그 셋 잇딴음 하나하나는 50분의 1초만큼의 길이를 가지고 있고 그 사이사이엔 또 그만큼의 엇비슷하게 짧은 멈춤이 있지. 그러니까 난 피아노 음역보다 한 옥타브 위로 연주를 하면서도 총 연주시간 10분의 1초 동안 단 한 치의 오차도 없이 완벽한 연주를 해낸 것이란 말이야."

"그렇게 말하니까 무슨 음악의 거장처럼 들리는데, 도대체 음악으로 뭘 어떻게 하겠다는 거야? 밀알과 보리알을 줍는 데 시간을 쓰는 게 훨씬 낫지." 개미의 대꾸였다.

"난 대단한 일을 해냈어. 난 내 음악으로 독창적인 과학적 측정 체계를 완성했단 말이야." 귀뚜라미의 설명은 여기서 끝나지 않았다. "그러니까 누구든지 현재의 온도를 알고 싶으면, 그저 1분 동안에 내가 연주하는 '귀뚤' 소리를 세어서 4로 나눈 다음, 다시 거기에 40을 더하기만 하면 되지. 자, 보게나. 이게 바로 지금의 화씨 온도 아니겠어!"

"정밀하긴 정밀하군." 개미가 되받았다. "근데 일기예보가 자네한테 밥을 갖다 주나, 떡을 갖다 주나?"

"그러는 자네는 뭐 내세울 거라도 있어? 저만 먹겠다고 광에다 먹을 걸 잔뜩 쌓아 둔 것 말고 뭐가 있느냐 말이야." 귀뚜라미의 말이 거칠어지고 있었다.

그러자 이번에는 개미가 버럭 화를 내며 말했다. "너야말로 오락과 지식만을 찾아 헤매는 어리석은 개인주의자야. 우린 만물의 영장인 인간과 맞먹는 존재야. 물론 더 우수하다고야 할 수 없지만 말이야. 우린 사람들보다 수가 많아. 그리고 우리의 사회제도는 상당히 복잡하고, 역사도 한참 옛날로 거슬러 올라가지. 우리가 땅 밑에서 농장을 일구고

진딧물 즙을 짜고 있을 때, 인간은 동굴 속에서 아직 불도 없이 벌벌 떨고 있었어."

"본능적으로 사는 거야 누가 못해? 자넨 자기 족속을 너무 높이 평가하고 있어. 감히 인간과 비교를 하다니. 인간은 생각을 할 수 있어, 생각을!" 귀뚜라미가 말했다.

"그 점에서도 우린 인간과 동등해. 자기 종족을 상대로 정기적으로 큰 전쟁을 벌여서 천적이 동족을 죽이는 것보다 훨씬 더 많이 자기 동족을 죽인다는 측면에서도, 인간과 견줄 수 있는 동물은 우리 개미뿐이기 때문이지. 한번 보라고! 인간들처럼 우리 개미들도 피부 색깔만 달라도 가차없이 노예로 삼는단 말이야. 인간이 만들어낸 문명 가운데서 전쟁과 노예제도보다 더 위대한 게 또 어디 있다고 그래?"

가히 논박할 수 없는 개미의 주장에 말문이 막힌 귀뚜라미는 얼굴을 붉히면서 자리를 떴다. 얼마 가지 않아서 귀뚜라미가 추위와 배고픔으로 죽자, 개미들은 귀뚜라미의 시신을 자기네 집으로 질질 끌고 가서 아주 맛있게 먹어 치웠다.

■ 겨울이 왔으니 봄은 멀지 않았다는 말은 거짓말이다

여우 가족과 산토끼 가족

야심만만한 여우 가족이 누구나 한번쯤 살아보고 싶어하는 교외의 고급 주택지구로 막 이사를 왔다. 하지만 여우 가족은 이 정도 사회적 신분 상승만으로는 만족할 수가 없었던지, 그 지역사회에서 특권층만 들어갈 수 있는 컨트리클럽의 회원으로 가입하고자 했다. 그래서 여우네 식구들은 한껏 온화하고 우호적인 제스처를 이웃들한테 보여주었다. 물론 동네 사람들에게서 환심을 사기 위한 치밀한 사전 전략이었지만, 여하튼 끊임없이 선심 공세를 폈다.

아버지 여우는 일부러 자기 시간을 써 가면서 이웃 사람들을 만나고 다녔는데, 여기 가서 골프 실력 향상 비법을 친절하게 가르쳐 주는가 하면, 저기 가서 필드의 잔디를 잘 기르는 방법을 가르쳐 주기도 했다. 어머니 여우는 저녁 시간의 절반 가까이나 뚝 떼어서 집집마다 일일이 찾아다니면서 디저트 요리 만드는 법이라든가 애들 과자 굽는 법을 가르쳐 주었다. 그리하여 한껏 명랑한 분위기를 연출해놓은 다음, 원하는 주부들 모두에게 기막히게 맛있는 케이크 제작 비결을 몽땅 털어놓았다. 대학에 다니는 아들 여우는 같은 과 친구들을 집으로 데려와서 이웃 소녀들과 미팅을 시켜 주었으며, 딸은 무보수로 동네 사람들의 아기를 돌봐 주었다.

그렇지만 동네의 컨트리클럽 임원들이 모여서 회원 가입 심사를 해 본 결과, 반응은 그다지 호의적이지 않았다. "여우씨 가족들은 너무 아는 체를 합니다." 이쪽에서 이런 말이 나오자, 저쪽에서 또 저런 말이 나왔다. "그리고 항상 너무 잘난 체를 하지요."

"확실히 그 사람들은 생색만 내려는 속물들입니다." 의장이 이렇게 결론을 내렸다.

그러자 한 위원이 이렇게 말했다. "이네들보다 훨씬 예의 바른 가족이 있습니다. 산토끼씨 가족인데, 바로 얼마 전에 근처로 이사를 왔어요. 제가 그 집 남자를 만나 봤는데, 저한테 자기네 장미에 대해서 조언을 해달라고 하더군요. 좀 소심하긴 해도 점잖은 가족이라고 생각합니다."

"제 아내도 그 집 여자를 만난 적이 있다더군요." 다른 위원도 옆에서 거들었다. "뭐 별로 어려운 요리도 아닌데 제 아내에게 비빔밥 만드는 법을 물어 왔다는 겁니다. 정말 뭘 모른다고 해야 할지, 아니면 때가 묻지 않았다고 해야 할지 모를 정도입니다."

"우리 클럽에 가입시키는 게 그 집 식구들을 위해서도 좋은 일이겠군요." 의장의 결론이었다. "사실, 나도 그 집 아이들이 내 딸아이한테 남자 친구들을 만나게 해달라고 부탁

하는 광경을 보았지요."

　그리하여 첫째 가족의 입회 신청은 거부되었고, 둘째 가족은 컨트리클럽의 전폭적인 환영을 받으면서 가입되었다.

■ 고분고분한 순응심리의 어머니는 열등감인데, 그 아버지도 형질이
　별로 안 좋기는 매한가지이다

양치기와 새끼 늑대

울퉁불퉁한 바위산에서 양치기 목동 하나가 어미를 잃은 새끼 늑대들과 우연히 마주쳤다. 양치기는 잘만 가르치면 이 새끼 늑대들이 자기 양떼를 지킬 수 있으리라는 생각에서, 새끼 늑대들을 기르기로 작정했다.

양치기는 새끼 늑대들을 잘 먹여 주고 인내심을 최대한

발휘하여 자기 명령에 잘 복종하도록 열심히 훈련을 시켰
다. 그 녀석들이 양떼를 놀라게 했을 때는 매를 때려 주기도
하고, 안 그러고 얌전하게 굴었을 때는 맛있는 먹이를 던져
주었다. 그렇게 여러 달 힘들여 노력한 끝에 양치기는 자신
의 끈기 있는 훈련이 드디어 결실을 맺어가고 있다는 확신
이 들었다.

그래서 양치기는 양떼를 새끼 늑대들한테 맡겨 두고 읍내
로 가서 사람들에게 자기가 기른 '신종 양치기 개'를 사지
않겠느냐고 선전했다. 이 말에 귀가 솔깃한 마을 사람들과
함께 돌아와 보니, 어라? 글쎄 이놈들이 자기가 없는 틈을
타서 양떼를 모조리 잡아먹어 버린 게 아닌가!

■ 말을 물가에 끌어다 놓기만 해 보라. 물을 안 마시긴 왜 안 마셔?

나무꾼과 아내

올림포스 산의 옥좌에서 세상을 내려다보던 제우스 신의 눈에 한 나무꾼의 모습이 들어왔다. 엄청난 폭풍이 몰아치는 차가운 겨울밤을, 그 나무꾼은 등불 하나만 달랑 들고 미친 듯이 숲속을 헤매고 있었다. 잔뜩 호기심이 발동한 제우스 신은 길 가는 나그네로 슬쩍 모습을 바꿔 지상으로 내려

왔다. 나무꾼이 대체 왜 저러는지 알고 싶었던 것이다.

"나야 여기저기 여행을 하다 보니 이런 낯선 곳까지 오게 되었소만, 선생은 이 추운 밤중에 밖에 나와서 대체 뭘 하고 있는 겁니까? 허허, 그러다가 뱃속까지 꽁꽁 얼어붙고 말겠소 그려." 변장한 제우스 신이 나무꾼에게 물었다.

"아, 글쎄 바보 천치같은 내 마누라가 여기 어디다가 결혼반지를 잃어버렸다지 뭡니까!" 이게 나무꾼의 대답이었다. "그건 순금으로 만든 건데, 그걸 잃어버리고 내가 어떻게 아무렇지 않게 지낼 수 있단 말이요. 찾을 때까지 절대 포기할 수 없어요."

"하지만 이렇게 비바람 몰아치는 무시무시한 밤중에 혼자 집에 남겨둔 아내가 걱정도 안 되시오?" 제우스 신이 이렇게 물었다.

"아, 그건 걱정을 안 해도 되지요. 우리 집 바로 옆에 양치기 목동의 집이 있어서요. 아주 성품이 좋아서 내가 없어도 아내를 잘 보살펴 주기로 했으니까 아무 문제가 없지요." 나무꾼이 명랑한 어조로 대답했다.

"그래도 서둘러 집에 가 보는 게 좋을 거요." 제우스 신이 충고를 해 주었다. "내일 아침까지도 여기 남아서 하찮은 반지 하나 찾느라고, 혹시 집에 있는 훨씬 비싼 물건을 잃어 버리면 안 되니까 말이오."

"나를 아주 경솔한 놈으로 보시는 모양인데, 제 말씀을 한번 들어 보세요." 나무꾼의 대답이 조리있게 이어졌다. "난 말이오. 내가 나무꾼이니까 도끼라면 또 몰라도, 워낙 집이 가난하다 보니 그 반지만큼 값 나가는 재산이 하나도 없어요."

제우스 신은 다시 올림포스 산으로 돌아가고 나무꾼도 다시 하던 일을 계속하게 되었다. 저쪽 산에서 훤하게 먼동이 터 올 무렵, 나무꾼은 드디어 죽어라 찾아헤맸던 결혼반지를 찾아서 집으로 가져갔다. 집으로 돌아온 나무꾼은 더할 나위 없이 행복했다. 소중한 자기 도끼도 제 자리에 아무 탈 없이 그대로 놓여 있었으니 말이다.

■ 대형 사고는 그리 쉽게 일어나지 않는다

사자와 여우와 사슴

 이제 늙어서 사냥을 할 기력조차 없는 사자 한 마리가 허기진 배를 움켜잡고 사자굴 안에 웅크리고 누워 있었다. 그때 마침 여우 한 마리가 그 앞을 지나게 되었다. 절박한 심정으로 사자가 간신히 입을 열었다.

 "이보게 친구, 자네가 정말로 소문만큼 영리하다면 이 굴

속으로 먹잇감을 유인해서 내 앞에까지 끌고올 수 있어야겠지? 그렇다고 전처럼 기껏 길 잃은 생쥐를 잡아오거나 새 둥지의 알을 도둑질해오는 정도로는 안 돼. 전리품은 똑같이 나눠주고 양껏 먹게 해 줄 테니, 어떤가, 해 보겠어?"

사자의 동지가 되어 손해 볼 건 없겠다고 생각한 여우가 말했다. "그건 말처럼 그렇게 쉬운 일이 아니지요. 하지만 한번 해 보죠." 그 후 여우는 봉을 잡으러 숲 속으로 들어갔다. 시냇물에 목을 축이면서 '물거울'에 비친 화려한 자기 모습에 은근히 도취되어 있는 사슴을 본 여우는 때마침 딱 맞는 후보를 찍었다고 속으로 생각했다. 여우가 사슴에게 말을 건넸다.

"굉장한 소식이야. 동물의 왕 사자가 지금 힘이 다 빠져서 오늘 내일 하는데, 너더러 자기 뒤를 이어서 왕이 되어 달라는 거야. 그래서 나보고 너한테 알려 주랬어."

어쩐지 부쩍 의심이 생긴 사슴이 이렇게 말했다. "자네는 영악한 친구니까 모르긴 몰라도 무슨 꿍꿍이가 있을 거야. 그래, 안 그래?"

사슴의 힐난을 받은 여우가 짐짓 분개한 어조로 말했다. "그러니까, 제길, 사자가 어쩔 수 없어서 선택을 한 거지. 사자한테 달리 선택의 여지가 없다는 걸 왜 모르나? 그걸 모르면 자네도 마찬가지로 바보라고."

"하긴 그래." 자기 뿔을 자랑삼아 둥그렇게 앞으로 한번 휘잉 돌리면서 사슴이 말했다. "외모로 보나 지혜로 보나 인품으로 보나, 널리 존경을 한 몸에 모으고 있는 내가 왕이 되는 게 당연하지. 하긴 허우대가 벌써 제왕의 풍모잖아. 여우, 자네 말이 맞긴 맞아. 사자도 아마 나를 뽑는 수밖에는 별다른 도리가 없었을 거야."

그러자 이번에는 여우가 재촉을 해대는 것이었다. "자, 그럼 빨리 서둘러 사자한테 가세. 그래야 사자가 자기 뒤를 이을 통치자로 자네를 지명하여 하루라도 빨리 만천하에 공식 발표를 할 수 있지 않겠나. 자, 가세."

아무 의심도 남아 있지 않았던 사슴은 여우의 발뒤꿈치만 따라갔다. 드디어 사자의 굴에 이르렀다. 이들을 본 사자가 사슴을 향해 용수철처럼 튀어올라 덤벼들었다. 하지만 노쇠

한 사자는 기껏 사슴의 귀 언저리만을 할퀴고 말았을 뿐이었다. 당연히 사슴은 사자의 손아귀를 빠져나올 수 있었다. 간이 콩알만해진 사슴은 그 길로 '걸음아 날 살려라!' 하고 깊은 숲 속으로 달아나 숨어버렸다.

여우는 사자의 무능을 비난하기 시작했다. 듣고 있던 사자가 말했다. "네가 말을 안 해도 난 이렇게 무기력해진 나 자신을 한없이 부끄러워하고 있어. 이제 잔소리는 그만 하고 다시 한 번 그 사슴 녀석을 내가 잡을 수 있는 데까지 끌고 와 줘."

"아니. 여길 한번 왔다가 갔는데 어떻게 다시 또 오겠습니까? 거의 불가능이라고 생각되네요." 여우가 대답했다. "어쨌든 하긴 해 보지요."

사슴의 발자국을 찾아낸 여우는, 단단히 겁을 먹고 덤불숲에 숨어 있는 이 동물한테 다가갔다. 어디 다른 데로 가는 길인 척하면서 여우가 말했다.

"너를 왕으로 만들기 전에 네가 겁쟁이라는 게 밝혀져서 정말 다행이야. 지금 곰한테 사자의 뒤를 이어 왕이 되라고

전하러 가는 길이야."

"뭐!" 사슴이 펄쩍 뛰었다. "이 사기꾼 같으니! 날더러 겁쟁이라고? 그럼 넌 내가 멍청히 잡아먹히길 바랐단 말이냐? 입을 정말 함부로 놀리고 있군 그래."

이 말을 듣고 여우가 배꼽을 잡고 웃었다. 물론 그런 척한 것이었지만 말이다. 그러고는 말했다. "사자는 그냥 너를 껴안고 네 귀에다가 숨을 불어넣어 왕이 되는 걸 축하해 주려는 동작을 했을 뿐이었어. 자기가 겁이 많아서 제왕의 자리를 날려 버리고는 누구한테 무슨 소리를 하고 있어, 지금."

"내가 사자의 제스처를 오해했구먼. 난 또 그런 줄도 모르고." 사슴이 이제야 알겠다는 듯이 말했다. "하긴 사자가 나한테 해명할 기회도 안 주고 다른 놈을 뽑는다는 건 말도 안 되는 소리지. 명예가 탐이 나서 하는 소리가 아니라, 곰이 왕이 되면 앞으로 벌어질 일이 눈에 선해서 그러는 거야. 곰 녀석의 행실을 잘 알잖아."

"옳은 말이야." 여우가 맞장구를 쳤다. "하지만 나한테는 백 번 얘기해 봐야 소용이 없어. 난 다만 전령에 불과하고 명령을 받은 대로 움직일 뿐이니까."

"그럼 한 번만 더 내가 사자 왕을 배알할 수 있게 해주게나. 내가 용서를 잘 빌어서 사자가 원래 생각대로 나에게 왕위를 물려주도록 설득할 자신이 있으니 말이야." 사슴이 애원했다.

"곰한테 다녀오라는 명령을 거역했다고 사자가 버럭 화를 낼 텐데 어쩌지? 하지만 나도 정의가 이 땅에 실현되기를 바라는 놈이니까." 여우가 짐짓 결심했다는 어조로 말했다. "좋아. 자넬 다시 데려가지."

그래서 사슴은 신이 나서 다시 사자굴로 들어갔다. 그날 밤 사자와 여우는 사슴 뼈다귀를 맞나게 뜯으면서 사슴의 자화자찬을 마음껏 비웃어 주었다.

■ 실수를 반복하라. 밑져야 본전 아닌가!

해와 바람

　명랑한 자기 성격에 항상 자부심을 갖고 있던 태양이, 이
와 반대로 험악한 성격에 누구 못지 않은 자부심을 갖고 있
던 북풍과 말다툼을 벌이게 되었다. 태양은 친절하고 따뜻한
자기 성격이 모든 이들로부터 존경을 한몸에 받는 원천이라
고 자랑했고, 북풍은 또 북풍대로 폭풍처럼 몰아붙이는 자기

성격 때문에 자기가 더 큰 존경을 받고 있다고 떠벌렸다.

말다툼의 결판을 낼 요량으로 태양이 이렇게 제안했다. 즉, 누가 밭에서 일하고 있는 농부의 겉옷을 벗겨낼 수 있는가를 시험해 보자는 것이었다. 북풍은 이 제안에 동의하고 자기가 먼저 해보겠다고 했다. 북풍은 그리하여 얼음처럼 차갑고 매운 회오리바람을 농부에게 퍼부었다. 그러나 바람을 강하게 보내면 보낼수록 농부는 옷을 바짝 끌어당겨 더욱 더 꼭 껴입는 것이었다.

다음은 태양이 시도할 차례였다. 태양은 자기가 가진 가장 따스한 햇살을 농부에게 흠뻑 쏟아부었다. "에이, 날씨 한번 요상하네. 조금 아까는 바람이 그렇게 몹시 몰아치더니 이번엔 또 뜨거운 해가 쨍쨍 내리쬐니, 참." 농부는 투덜거리면서 겉옷을 벗어던졌으니, 결국 승리자로 해의 손을 들어준 셈이었다.

태양은 자기가 승자가 된 결과에 신이 나서 '하하!' 웃었으나, 북풍은 완전히 승복하지 않았다. "잠깐! 네가 이긴 건 이긴 거야. 거기 대해선 불만이 없어. 하지만 어디 이번엔 누가 저 농부의 옷을 다시 입힐 수 있는가 시합을 해 보자."

"참 치사하구나. 졌으면 깨끗하게 졌다고 할 일이지. 다른 게임은 무슨 또 게임이냐? 하지만 굳이 원한다면 못할 것도 없지. 내 기꺼이 응해 주겠어." 자신감에 넘친 해가 말했다.

해는 더욱 많은 햇볕을 농부에게 쏟아부었다. 하지만 농부는 땀을 뻘뻘 흘리게 되니까 오히려 입고 있던 러닝셔츠까지 벗어부치고 계속 일을 했다.

그러자 '기회는 이때다!' 싶은 바람이 쌀쌀한 돌풍을 날려보냈다. "나 참, 이렇게 변덕스러운 봄날씨는 처음이야." 농부는 이렇게 중얼거리면서 떨리는 몸을 추스리는 동시에 러닝셔츠와 겉옷을 다시 주워 입었다. 그래서 이번에는 바람이 승자가 되었다.

해는 자신이 졌다는 사실에 매우 상심이 되었지만, 아까 자기 성품이 명랑하다고 떠벌렸던 기억을 되살리곤 심술을 부릴 수도 없었다. 이렇게 자기 감정을 꽉꽉 억누른 것이 화근이 되어 결국 다음날 심인성 두드러기를 일으켜 얼굴 표

면에 태양의 흑점이라는 큰 얼룩을 여기저기 만들어내고 말
았다.

■ 자기 성질과의 싸움에서는
  자기 성질한테 져주는 것이 이기는 지름길

늑대와 황새

　생전 낚시라곤 단 한 번도 성공한 적이 없는 늑대 한 마리
가 그 날은 용케도 강에서 통통하고 물 좋은 연어 한 마리를
잡았다. 그냥 먹고 싶은 욕심만 앞서다 보니 늑대는 생선을
먹을 때 꼭 지켜야 할 주의사항도 잊은 채 연어를 허겁지겁
한 입에 꿀꺽하다가 그만 커다란 가시가 덜컥 목에 걸리고

말았다.

어찌나 아팠던지, 늑대는 숨을 한 번 쉴 때마다 꼭 그게 마지막 숨이 될 것만 같았다. 그래서 여기저기 살려 달라고 도움을 청하러 뛰어다녔다. 하지만 아무 동물도 늑대의 고통을 덜어 주려 하지 않았다. 도와만 주면 꼭 사례하겠노라고 다짐 또 다짐을 해도 소용이 없었다. 그러다가 마침내 황새 한 마리가 살겠다고 발버둥을 치는 이 절망적인 짐승에게 동정심을 느껴 도와 주겠다고 나섰다.

황새는 자기의 길고 좁다란 부리를 늑대의 목구멍 깊숙이, 연어 가시가 닿을 때까지 들이밀어 가시를 뽑아 주었다. 늑대가 다시 편안하게 숨을 쉴 수 있게 되자, 황새는 약속했던 사례를 요구했다.

"난 자네가 통이 큰 동물이라고 믿고 있다네." 황새의 말이 차분하게 이어졌다. "정말이지 정교한 수술이었어. 물론 힘도 들었고 말이야. 외과수술 전문의로서 이만큼 완벽한 수술은, 뭐, 도저히 나 말고는 기대할 수가 없을 거야."

그러자 늑대는 이렇게 대답했다. "이 친구야, 자넨 그 무시무시한 늑대 아가리 사이에서 머리를 온전하게 빼내고도 더 보답이 필요한가? 난 그걸로 충분한 보답이 되었으리라고 보는데."

애당초 약속 같은 걸 늑대가 지키리라고 믿었던 바도 아니었기 때문에 황새는 그 말을 듣자마자 두말없이 후딱 자리를 차고 날아갔다. 늑대는 황새를 잘도 등쳐먹었다고 혼자 낄낄거리면서 좋아했다.

그런데 불행하게도, 죽기 일보직전에 간신히 사지에서 탈출하고 보니 갑자기 옛날 어렸을 적 기억이 되살아나는 것이었다. 자기와 형제들을 사냥개떼의 추격에서 구해 주고 제 스스로는 죽어야만 했던 엄마에 대한 그 가슴 아픈 기억 말이다. 늑대의 잠재의식은 황새에게서 일반적인 모성애의 전형을 보게 되었고, 그에 따라서 황새의 영상이 엄마의 얼굴과 겹쳐 보였던 것이다.

그러자 늑대는 죄의식에 사로잡혔다. 이런 죄의식은 '불안 초조 노이로제'로 나타나기 마련이다. 늑대의 노이로제 증상 가운데 하나는 목구멍의 혹심한 통증이었다. 음식 조

각은 고사하고 물도 한 모금 삼킬 수가 없었다. 이 고통이
오히려 잠재의식에서는 늑대에게 죄값을 치렀다는 만족감
을 주었지만, 며칠 후 늑대는 굶주림으로 죽어도 맞이하기
싫은 죽음을 맞이해야 했다.

■ 자신에게만은 정직해야 한다. 그래야 이 세상 어느 누구라도 속일
  수가 있다

왕을 원한 개구리들

　더할 나위 없이 살기 좋은 연못에 살면서도 정서 불안을 느끼는 개구리들이 심심찮게 있었는데, 그것은 그네들한테 아버지상(像)이 없었기 때문이다. 개구리들은 그래서 대표단을 제우스 신에게 보내 자기들도 왕을 얻을 수 있게 도와달라고 탄원했다.

개구리들의 뜻을 가상하게 여긴 제우스 신은 커다란 통나무 하나를 연못에 떨어뜨리고는 이렇게 말했다. "저 통나무가 지금부터 너희를 다스리는 왕이다. 그러니 저 분을 존경하면 평화를 누리게 된다." 처음에는 개구리들도 대단히 기뻤다. 그도 그럴 것이 대왕 통나무가 햇볕을 쪼일 수 있는 훌륭한 장소를 제공해 주었으니 말이다. 게다가 많은 애벌레와 딱정벌레, 지렁이 따위들이 통나무 주변에 꾀어들었기 때문에 한동안은 먹이까지 풍성하게 늘어났다.

그러나 통나무 대왕이 전혀 움직이지도 않고 말도 한 마디 하지 않자, 젊은 개구리들 사이에서는 슬슬 통나무를 비웃고 무례한 행동까지 보이기 시작했다. 이런 버릇없는 태도에도 통나무가 별다른 반응을 보이지 않자, 개구리들은 자기네가 죄를 저질렀는데도 벌을 받지 않고 있다는 불안감을 느끼게 되었고, 이런 불안감은 오히려 통나무 대왕에게 더욱 짜증을 부리게 했다.

그리하여 개구리들은 다시 대표단을 구성해서 제우스 신에게 보내 불만을 털어놓았다. 자기가 내린 판정에 대해 궁

시렁대는 개구리들의 불평에 화가 머리끝까지 난 제우스 신은 이에 대한 응징으로 커다란 물뱀 한 마리를 연못으로 내려보냈다.

엄청난 먹성을 자랑하는 대왕 물뱀은 닥치는 대로 개구리를 잡아 삼시 세 끼를 완전히 개구리 식사로만 때우기에 이르렀다. 그리하여 개구리들은 얼마 안 있어서 물뱀 대왕한테 깡그리 소탕되었지만, 모두들 행복하게 잘 죽어갔더란다.

■ 개구리가 인간보다 더 영악할 수 있겠는가?

동물들의 재판관

날이면 날마다 벌어지는 생존경쟁에 시달리던 밀림의 모든 동물이 한 자리에 모여서 자신들의 분쟁을 평화롭게 해결해줄 재판관을 선출하기로 했다. 그러나 막상 모여서 적임자 하나를 뽑으려 하니, 그리 쉬운 일이 아니었다.

처음에 이들은 코끼리에게 재판관이 되어 달라고 했다.

아주 지혜롭다고 온 밀림 안에 소문이 자자했기 때문이다. 그런데 정작 당사자인 코끼리는 재판관 자리를 사양하면서 이렇게 말하는 것이었다. "난 마음이 너무 여려서 아무리 나쁜 짓을 저지른 악질 동물이더라도 제대로 징벌을 내릴 수가 없을 것 같아."

다음으로 동물들은 사자에게 부탁했다. 사자의 단호한 성격과 막강한 힘에는 아무도 꼼짝을 못 할 것이기 때문이었다. 그러나 사자도 변명을 늘어놓으면서 거절했다. "난 사실 머리가 좀 모자라서 내가 하는 일도 뭐가 옳고 뭐가 그른지 분별이 잘 안 돼. 하물며 남의 일을 내가 어떻게……"

그리하여 동물들은 공부를 많이 한 부엉이한테 부탁을 했다. 그러나 부엉이는 이렇게 대답했다. "난 매사를 너무 골똘히 깊게만 생각하다 보니 남이 보기엔 지극히 간단한 문제라도 내 방식대로 원만하게 해결하려면 한 삼사 년이 족히 걸려. 이것도 문제고 저것도 문제고, 생각할수록 문제가 꼬여만 버리니 말이야."

상황이 이렇게 돌아가자, 이때다 싶은 승냥이가 좌중에서 앞으로 쓱 나서며 말했다. "나야말로 여러분이 바라는 재판관으로 적격자라 할 수 있소. 마음이 너무 여리지도 않고, 힘만 무식하게 세지도 않고, 지나치게 깊이 생각하지도 않는단 말이오. 물론 난 돌봐야 할 가족도 많고 가난해요. 하지만 공공의 복리를 위해 봉사하고자 하는 열망은 일신의 이익을 구하려는 마음보다 훨씬 강렬합니다. 특별히 다른 의견이 없다면, 내가 한번 그 직무를 맡아서 해보겠습니다."

하긴 다른 후보자가 없었으므로 모여 있던 동물들은 승냥이를 자신들의 재판관으로 삼기로 했다. 물론 상당수의 동물들은 승냥이의 재판관 자질을 의심했지만 말이다. 유감스럽게도 승냥이는 일단 그 자리를 맡고 나자, 동물들이 들고오는 소송 사건은 거들떠보지도 않고 오로지 직책에 어울린다 싶은 명예만을 챙기기에 바빴다.

그리하여 동물들은 다시 중지를 모아 좀더 열정적으로 직무에 임할 재판관을 찾아보려 했다. 하지만 이번에도 자격이 좀 있겠다 싶은 동물은 모두가 하나같이 사양하는 것이었다. 그런데 남의 일에 끼어들어 이래라 저래라 하는 것도 흥미로운 일이라고 생각한 원숭이만이 그 자리를 승냥이 대시 맡겠다고 나섰다. 그래서 다른 동물들도 설마 승냥이보다야 더 못하겠느냐는 생각에서 원숭이를 재판관으로 선출했다.

그러나 원숭이의 판결은 어찌나 짓궂었던지 사태는 금세 승냥이 때보다 더 나빠졌다. 그러자 동물들은 원숭이를 물러나게 하고, 다시 승냥이를 그 자리에 앉혔다. 이후로 동물들은 이런 식으로, 원숭이에게 못 견디겠다 싶으면 승냥이를, 승냥이에게 못 견디겠다 싶으면 원숭이를 재판관으로 임명했다. 말하자면 한 놈하고 못 살겠다 싶은 분노가 새로 솟구칠 때마다 다른 놈으로 바꿔 앉히면서 지냈던 것이다.

■ 민주주의는 좀 복잡하다

까마귀와 여우

나이가 꽤 든 아가씨 까마귀가 한 마리 있었는데, 얼굴이 지지리도 못 생겨서 아직 제 짝 하나 변변하게 못 만난 처지였다. 어느 날 이 까마귀가 나뭇가지에 걸터앉아서 방금 전에 슬쩍한 치즈 조각을 먹고 있었다. 마침 아래를 지나가던 여우가 까마귀를 흘끗 보고는 치즈에 눈독을 단단히 들였다.

여우는 고개를 까딱 치켜들고 까마귀를 불렀다. "넌 말이야, 얼굴이 너무 아니잖아. 그러니까 못난 얼굴을 보충해 줄 뭔가가 있을 거야. 암 있고 말고! 혹시 목소리가 장점 아닐까? 두, 세 소절만 들려주면 내가 한번 사심없이 평가를 해 주지. 내가 이래 봬도 그 방면엔 제법 일가견이 있잖아. 어때?"

정말로 참신하고 기뻐서 펄쩍 뛸 제안이 아닐 수 없었다. 성악 오디션을 받아 보라니! 노처녀 까마귀는 그래서 주둥이를 있는 대로 벌려 가지고 노래를 시작하려 했다. 그 난리통에 물고 있던 치즈가 땅바닥에 툭 떨어졌다. 때를 놓칠세라 여우는 재빨리 치즈를 홱 낚아채서 숲속으로 달아나서는 느긋하게 먹어 치웠다.

속으로 생각해 보던 까마귀는 아차! 싶었다. "이런, 내가 생각이 너무 짧았어. 손님한테 우선 식사 대접부터 하고 나서 노래를 불렀어야지. 배가 고파서 꼬르륵 소리가 나는데 노래를 듣고 싶은 사람이 어디 있겠어? 미안하다고 사과를 하면, 혹시 너그럽게 기회를 한 번 더 줄지도 몰라."

까마귀는 그래서 한껏 공을 들여 사과 편지를 쓰면서 말미에다가 저녁 식사를 겸한 음악회에 와 주십사는 초대의 뜻을 비쳤다. 여우가 초대에 응하자, 노처녀 까마귀는 세심한 신경을 써서 잘 차린 식사로 배가 터지도록 먹게 해 준 다음, 노래를 불렀다. 공짜 식사에 기분이 좋아질 대로 좋아진 여우는 신나게 박수를 쳐 대고 앙코르까지 대여섯 번씩이나 요청했다.

그런 일이 있고 난 다음부터 까마귀는 여우를 위한 '디너 쇼'를 정기적으로 개최했다. 그렇게 쉬지 않고 꾸준히 연습을 계속하다 보니 목소리가 진짜로 좋아졌을 뿐만 아니라, 성격까지도 적극적으로 바뀌게 되었다. 안정감에다가 확신, 자신감이 넘쳐서 오히려, 나쁘게 말하면 잘난 체하는 자만심까지 언뜻언뜻 내비칠 정도가 된 것이었다. 이런 변화가 어떤 노총각 까마귀의 마음을 사로잡게 되었으니, 노총각 까마귀는 생긴 거야 뭐 좀 못 생겼으면 어떻겠느냐 싶어 노처녀 까마귀한테 구혼을 해서 마침내 결혼에 골인하게 되었다.

■ 바른 말 하는 데 돈 드나

여우와 신 포도

여우 한 마리가 누이동생을 데리고 길을 가다가 탐스럽고 향긋한 포도송이가 주렁주렁 매달린 포도밭을 지나게 되었는데, 아! 그렇게 먹음직스러운 포도는 보다 보다 또 처음이었다. 하지만 포도가 어찌나 높이 매달려 있었던지 아무리 황새처럼 모두뜀을 뛰어도 발이 닿지 않았다.

한참을 오르락내리락 포도나무와 씨름을 하던 누이동생 여우가 이렇게 내뱉었다. "저 포도는 너무 시어서 따 봐야 먹지도 못해. 그냥 집에 가서 엄마한테 점심을 차려 달라는 게 낫겠어. 오빠야, 그냥 가자, 응?"

남매 간의 묘한 경쟁 심리가 발동한 오빠 여우가 곧바로 대꾸했다. "싫다. 넌 지금 저 포도를 따지 못하는 네 무능을 그런 식을 합리화하고 있는 거야. 하지만 난 달라. 난 관념론자가 아니니까 기꺼이 현실과 부닥쳐 보겠어. 저 포도는 분명히 지금까지 먹어본 어떤 포도보다 달콤할 거야. 난 몇 알이라도 맛을 볼 때까지 절대 단념하지 않아."

그리하여 누이동생 여우는 총총히 자리를 떴고, 오빠 여우는 고집스럽게도 포도를 따려고 계속해서 뛰어올랐다. 몸에서 힘이 빠져나갈수록, 그래서 노력이 더 가망이 없어질수록, 그 포도가 최고로 맛있을 거라는 오빠 여우의 믿음은 더욱 확고해져 갔다.

좌절감이 심해져서 이내 발작이 일어났다. 마침내 오빠 여우는 자기 꼬리를 물어뜯겠다고 뱅글뱅글 돌면서 정신없

이 캥캥거리기 시작했다. 여우의 울음소리를 듣고 깜짝 놀
라서 총을 들고 나온 포도밭 주인이 여우의 머리를 향해 총
을 발사했다. 총알은 오빠 여우의 머리를 날려보냈다. 완전
히 산산조각으로!

■ 한번 해 봐서 안 되면, 다시 하지 말라

19 스스로를 돕지 못하는 사람을 남이 도와줄 수는 없다. 헌데, 스스로 도
    울 수 있는 사람을 굳이 남이 나서서 귀찮게 할 필요가 있을까?

농부와 살무사

한창 추운 겨울, 눈보라가 몰아치던 어느 날 한 농부가 길
을 가다가 살무사 한 마리를 발견했다. 살무사는 혹독한 추
위로 몸이 동태가 되어 얼어죽기 일보직전이었다. 측은한
마음이 든 농부는 양털 코트의 단추를 풀고 뱀을 집어들어
가슴안에서 따뜻하게 품어 주었다.

농부가 집에 막 도착했을 때였다. 그동안 몸이 따뜻해져서 생기를 되찾은 뱀이 자기 독니로 농부의 가슴을 깨물었다. 물린 상처가 치명적이라고 생각한 농부는 이렇게 부르짖었다. "어이구, 올림포스의 신들이시여, 어찌 이럴 수가 있나이까? 자비를 베푼 보답이 이런 것이란 말입니까? 세상 참 더럽게도 다스리시는군요!"

　치료의 신 아폴로가 이 독살스런 비난의 외침을 듣고 곧장 농부 앞으로 나타났다. "비열한 독사한테 온정을 베푼 일로 후회할 건 없다. 설마하니 자기가 베푼 친절 때문에 죽도록 내가 가만히 있겠는가. 상처를 치료해 주고 독을 중화시켜 주마."

　"감사합니다. 불평을 하려 한 건 아니었습니다. 생각해 보니 제 죽음은 결국 제 자신이 불러들인 것이었습니다." 죽었다 살아난 농부가 말을 받았다.

　"과연 남자답구나. 그건 그렇고, 어디 보자. 착한 일을 하려는 충동 때문에 고통을 당해서야 되겠느냐!" 아폴로가 농부에게 말했다.

그런데 이번에는 농부가 색다른 자기 주장을 펴는 것이었다. "크나큰 배려에 대해선 절로 고개가 숙여지지만 말입니다. 여러 신께서는 진정 인간과 인간의 운명 사이에 개입하는 것이 옳다고 생각하시나요? 원칙적으로, 신들이 인간사를 놓고 이래라 저래라 하는 건 잘못된 일 같습니다."

아폴로 신이 자신의 호의를 받아들이도록 농부를 설득하느라 진땀을 빼는 동안, 농부는 독이 퍼져 죽고 말았다.

■ 스스로를 돕지 못하는 사람을 남이 도와줄 수는 없다. 헌데, 스스로 도울 수 있는 사람을 굳이 남이 나서서 귀찮게 할 필요가 있을까?

사자와 암사슴

혼자서 먹이를 잡아서 쓰러뜨리기엔 이제 힘도 부치고 속력도 못 미칠 정도로 나이를 먹은 사자 한 마리가 힘 대신 약삭빠른 꾀를 써서 사냥을 해야겠다고 생각했다. 통통하게 살이 오른 암사슴 한 마리를 먹이로 점찍어 둔 사자는 풀을 뜯고 있던 암사슴을 향해 일부러 눈에 띄게 다가갔다.

자기한테 사자가 다가오는 광경을 본 사슴이 막 도망갈 차비를 할 때였다. "잠깐, 겁내지 말고 거기 서 봐. 이건 사교상의 방문이야. 그냥 친구로 만나고 싶어서 그러는 거야."

"좋아. 하지만 더 이상은 다가오지 마." 조심성 있는 사슴다운 대답이었다.

그러자 사자는 그 자리에 그대로 서서 이야기를 계속했다. "초대하기 위해서 온 거야. 오늘 저녁 우리 집으로 너를 불러서 같이 식사라도 한 끼 하고 싶은데, 어때, 괜찮겠지?"

"고마운 말이긴 하지만 넌 우리하고 식성이 다르잖아. 너희는 고기를 좋아하지만 우리는 야채를 좋아한다고."

"그건 그래. 하지만 안심해. 널 주려고 풀 반찬을 준비해 놓았어." 사자가 말했다.

"사실 난 오늘 저녁에 딴 동물과 선약이 있어서 가기가 곤란해. 이해해 줘." 암사슴의 답례였다.

배가 어찌나 고팠던지 침까지 질질 흘리면서 사자가 다시 말을 받았다. "그래, 그럼 '내장' 저녁에 먹지 뭐."

"그 말 혹시 '내일' 저녁에 먹자는 말 아니니?" 암사슴의 말이었다.

"아, 참 그렇지. 용서해 줘. 실수였어. 실수!" 사자의 구차한 변명이었다.

암사슴은 자리를 떠나면서 사자에게 말했다. "이거 참 안된 일이지만, 난 뼈에 사무치게 느끼고 있어. 혼자서 식사를 해야 가장 편하고 맛이 있다는 사실을 말이야."

■ 거짓말도 제대로 하려면 많은 준비가 필요하다

돼지와 사자

　숲속을 덮친 갑작스런 홍수 때문에 겁에 질린 돼지 한 마리가 어떻게든 목숨을 건지려고 물에 떠다니는 커다란 통나무에 올라탔다. 그런데 이런 가슴 철렁할 일이 있나! 역시 물에 빠지지 않으려고 버둥거리던 사자가 같은 통나무에 올라탔던 것이다.

놀란 가슴을 진정시키면서 돼지가 말했다. "존경하는 동물의 대왕이시여, 우리가 이 통나무를 나눠 타게 된 것도 운명인 모양입니다. 바라옵건대 제 말씀을 좀 들어 주십시오. 대왕님의 식욕이 이성보다 앞선대서야 말이 되겠습니까? 우린 지금 무지무지하게 불안한 밑창을 딛고 있습니다. 까딱 잘못해서 다투기라도 하는 날에는 둘 다 그대로 강바닥에 곤두박질치고 맙니다."

"정말로 현명한 말이다. 너를 잡아먹으려는 짓 따위는 절대로 하지 않겠다. 너 죽고 나 죽는 일이 일어나선 안 되니 말이다." 사자의 맞장구였다. 사자의 말을 듣고 어느 정도 안심이 된 돼지가 다시 입을 열었다. "훌륭하십니다. 그래도 혹시 식욕이 언제 어떻게 발동할지 모르니까 그때마다 방금 하신 결심을 자꾸 되새기도록 하세요."

그리하여 사자와 돼지는 통나무 위에서 하룻밤을 사이좋게 평화로이 지냈다. 아침이 되자, 사자가 말했다. "참 이상한 꿈도 다 있네! 꿈에 내가 읍내의 어떤 활기찬 광장을 찾아갔는데 말이야. 사람들이 나를 전혀 못 알아보는 거야.

아, 글쎄 그래서 여기저기를 막 싸돌아다녔지. 그러다가 사람들이 유태교 회당에 안식일 예배를 드리러 들어가는 모습이 눈에 들어왔어. 어쩌다가 나도 거기 그냥 끼어들게 되었지. 기도야 무슨 말로 하는지 도통 알아들을 수가 없었지만, 어쩐지 기분은 그다지 나쁘지 않았어."

돼지는 속으로 슬며시 미소가 떠올랐지만, 짐짓 겉으로는 아무 내색도 하지 않았다. 햇볕이 내리쬘수록 사자는 배가 엄청 고파 죽을 지경이었지만 돼지 쪽으로는 고개 한 번 돌리지 않았다.

다음날 아침에 다시 사자가 말했다. "이건 정말 이상해. 어젯밤 꿈의 연속 같았는데 배경과 장소까지 똑같았지 뭔가. 근데 이번에는 사람들이 웅성거리는 소리가 들렸어. 오래 된 성당에서 성(聖) 금요일의 의식을 거행하고 있는 모양이더군. 그래서 거기를 또 갔지. 라틴어였으니까 당연히 예배는 단 한 마디도 알아듣지 못했어. 근데도 그냥 마냥 즐겁기만 한 거야. 허, 그것 참!"

돼지는 다시 한 번 회심의 미소를 마음속으로 지었지만

역시 이번에도 조용히 침묵을 지켰다. 하지만 사자는 입장이 그렇지 않았다. 시간이 갈수록 옆 친구 쪽으로 자꾸만 고개를 돌렸다 말았다 안절부절 못하는 꼴이 영 말이 아니었다. 그날 밤 사자는 잠을 자면서도 계속 으르렁으르렁 고함을 질러댔다.

다음날 아침 잠에서 깨어난 사자가 돼지에게 말했다. "이것 참 알다가도 모를 일이야. 전에는 이런 일이 없었는데 말이야. 그제 그끄제 꿈이 어제 또 이어져 연속 상영이 된 거야. 또 거기였는데, 이번에는 내가 교회로 쑥 들어갔어. 종파는 확실치 않았지만 예배를 우리말로 보더군. 세 번 중에서 이때가 가장 즐거웠지."

돼지는 이 말을 듣자마자 기분이 우울해져서 말했다. "이제 헤어져야 할 때가 된 것 같습니다. 그럼, 안녕히!"

"잠깐!" 사자가 소리쳤다. "난 약속을 지켰어. 그래서 너한테 전혀 겁도 안 줬는데 왜 이 안전한 통나무를 떠나려고 하지?"

돼지가 대답했다. "사실 전 개인적으로 특별히 좋아하는 종교도 없고 싫어하는 종교도 없습니다. 이 점은 꼭 알아주셨으면 좋겠어요. 그렇지만 말입니다. 유태인들은 돼지고기를 안 먹고, 천주교 신자들도 금요일만큼은 돼지고기를 안 먹습지요. 그런데 대왕님은 이런 종교를 다 버리고 언제라도 돼지고기를 먹을 수 있는 다른 종교로 개종을 하신 겁니다. 그러니 이젠 넘실거리는 강물 쪽이 채우지 못한 대왕님의 식욕보다 낫겠지요." 말을 마치기가 무섭게 돼지는 통나무를 떠나 강물로 풍덩 뛰어들었다. 동그마니 통나무에 혼자 남은 사자야 재주껏 허기를 채우라 하고.

■ 방바닥이 딱딱해야 꿈도 더 부드러워지는 법이다

제우스와 거미

작은 거미 한 마리가 제우스 신에게 상소를 올렸다. "성적 본능이 자꾸만 꿈틀대서 난리를 치니 저도 이제 짝을 찾고 싶습니다. 하지만 저는 알고 있어요. 우리네 거미의 암컷들은 짝짓기를 하고 나서 우리를 잡아먹는다는 사실을 말입니다. 짝짓기가 즐겁게 자살을 하는 방법이라면 또 몰라도

그게 아니라면 뭔가 좀 다정하고 영원한 이성간의 관계도 만들어낼 수 있어야 하지 않겠습니까? 이 문제를 좀 고려해 주십시오."

눈앞에 있는 저 쪼그만 미물이 당당하게 의견을 말하는 용기에 마음이 움직인 제우스는 고민을 해결해주고 싶어졌다. 사실, 짝짓기를 하고 나서 암컷이 수컷을 잡아먹는 거미의 본능은 제우스의 아내 헤라 여신이 남편에 대한 경고용으로 고안해낸 것이었다. 그래서 제우스는 더 더욱 미물의 고민을 해결해주고 싶었는지도 몰랐다. "너는 다른 동물의 본능을 아무것이든 빌려서 써도 좋다. 하지만 잘 생각해서 고르도록 해라. 그래야 너도 좋고 네 이웃도 좋을 테니 말이다. 나도 사실 본능만은 아무 때나 내 맘대로 못해."

제우스의 주의를 들은 거미가 이렇게 말했다. "다른 생물들과 허심탄회하게 이야기를 나누다 보면 무슨 좋은 수가 나오겠지요." 그리하여 거미는 만날 수 있는 모두에게서 조언을 구하고자 길을 떠났다.

꿀을 빨고 있는 벌을 만난 거미는 벌에게 경험담을 들려달라고 부탁했다. 벌의 대답은 이러했다. "우리 벌에게는 섹스란 왕족과 게으른 몇몇 놈팡이들한테만 해당하는 이야기일 뿐이야. 우리도 남자들을 죽이고 여왕 자신도 자기 여자 형제들이 태어나는 즉시로 친자매인데도 죽여버리거든. 그러니까 우리한테는 섹스가 어쩌면 살고 죽는 문제인 것 같단 말씀이야. 차라리 섹스 없이 지내는 게 어때? 나처럼 일에만 신경을 쓰고 싶다면 말이야."

벌의 말을 듣고 난 거미가 속으로 생각했다. '참, 나도, 괜한 시간 낭비를 했어. 기껏 같은 곤충한테 물어보다니. 섹스란 엄청나게 복잡한 문제라서, 아마 모르긴 해도 지능이 있어야 해답이 나오는 문제일 거야. 맞아, 맞고 말고. 그러니까 두뇌가 있는 동물을 만나야 해. 아무리 작은 두뇌라도 머리를 쓸 줄 아는 동물 말이야.'

냇가에 이르러 거미는 연어 한 마리를 만나서 의견을 물어보았다. "섹스란 대단한 것일 수밖에 없지. 그렇지 않으면 왜 우리 조상들이 그 때문에 목숨을 바쳤겠어? 하지만 내가 직접 폭포를 거슬러 올라서, 다시는 돌아오지 못할 길을 가봐야 자세히 알 수가 있지. 지금 내 경험으로 말해줄 수 있는 건 아무 것도 없어."

적잖이 실망한 거미는 다시 길을 가다가 수탉 한 마리를 만났다. "아마도 암탉 녀석들은 저희들 좋은 대로 섹스를 하고 있다고 봐야 할 거야. 하지만 나는 섹스 때문에 치러야 할 게 너무 많아. 나는 능력껏 짝을 몇 명이라도 얻을 수 있지만, 젊은 녀석들은 안 그래. 그 녀석들은 짝을 하나 얻으려면 나를 때려 눕혀야만 하거든. 그래서 난 항상 내 목숨과 아내들을 한꺼번에 잃을까봐 두려움에 떨면서 지내야 해."

96

소득 없는 여행에 지친 거미는 다시 제우스 앞으로 돌아왔
다. "세상을 다녀보니 대충 이런 것 같습니다." 거미가 그동
안의 면담 결과를 보고했다. "어디든 섹스가 있으면 바로 그
옆에 바짝 붙어서 죽음이 있더군요. 먹혀 죽든 맞아 죽든 그
건 매한가지니까 그냥 원래 제 본능대로 살아야겠습니다."

제우스와 작별을 고한 거미는 마음에 드는 짝을 찾아 사
랑을 호소했다. 그리하여 연인의 사랑을 얻고 난 거미는 기
쁜 마음으로 사랑하는 자기 짝의 저녁밥이 되었다.

■ 섹스와 정의는 둘 다 맹목적이다

파수꾼 개와 여우

숲속에서 우연히 만난 파수꾼 개와 여우가 대화를 시작했다. 대화 주제가 자기 일상생활에 대한 이야기로 접어들게 되자, 개는 평소에 느끼는 불만을 털어놓기 시작했다. "난 기껏해야 식탁 밑에 떨어진 밥 찌꺼기밖에 못 먹어. 양만 많고 질은 형편없지. 넌, 너 먹고 싶은 걸 먹고 싶을 때 다 먹

을 수 있어서 참 좋겠다. 탐나는 산딸기나 머루가 있으면 그
냥 팔만 뻗치면 되잖아. 아침 식사로 새알이 먹고 싶으면 새
둥지에서 슬쩍 꺼내 먹고 말이야. 고기는 또 어떻고? 언제
든 즉석에서 잡아서 죽이니까 틀림없이 신선하고 맛이 좋을
거야."

"그건 그래." 여우가 말했다. "사실, 난 정말 다른 동물이
나랑 다르게 살 수 있다는 사실을 지금까지 몰랐어. 근데,
너, 목에 빙 돌려맨 그 이상한 띠는 뭐니? 거긴 털까지 착
달라붙었잖아."

"응, 그건 일종의 옷깃 같은 건데, 우리 주인이 둘러매 줬
어." 개가 대답했다. "주인이 그렇게 한 건, 내가 매일 밤 집
에 꼭 붙어 있으라고, 또 그래서 집을 잘 지키라고 그런 거
야."

"그럼, 밤에 집에 얌전히 붙어 있을까, 아니면 밖에 나가
서 모험을 해 볼까도 스스로 결정할 수 없다는 이야기란 말
이니?" 여우가 정말 뜻밖이라는 듯이 물었다.

"그래." 마치 무슨 큰 선언이라도 하듯이 개가 말했다.

"주인은 모든 일에서 나를 완전히 통제하고 싶어해. 심지어 배우자를 고르는 일까지도 말이야. 내 취향이나 희망 사항은 전혀 고려하지 않고 자기 마음대로 일방적으로 결정해 버리지 뭐야."

"야, 그럼 무지 행복하겠다." 여우가 갑자기 소리쳤다. "그런 성가시고 골치아픈 결정을 모조리 누가 알아서 대신 처리해주는 사람이 있다니, 정말 편하겠다. 나는 해마다 내 짝을 혼자서 고르는데 한 번도 제대로 고른 적이 없었어. 얘, 그럼 나하고 서로 자리를 바꿔보는 게 어떻겠니?"

지금까지와는 다른 각도에서 사물을 바라보게 된 개는 집으로 돌아와 자기 팔자에 만족하며 살았다.

■ 정확하게 딱 틀에 맞추려면 어딘가는 꼭 찌그러지고 마는 법이다

늑대와 당나귀

초원에서 풀을 뜯고 있던 당나귀가 깜짝 놀랐다. 늑대 한 마리가 자기한테 어슬렁어슬렁 다가오고 있었던 것이다. 재빨리 머리를 굴린 당나귀는 마치 늑대가 다가오는 것을 눈

*사마리아 : 기원전 890년경부터 북이스라엘 왕국의 수도로 건설되었던 도시

치채지 못한 듯이 그냥 풀만 계속해서 뜯었다. 오히려 도망도 칠 수 없는 양 절름발이 흉내까지 냈다.

그러자 늑대는 살금살금 다가오던 태도를 싹 바꿔서 이제 몸을 숨기지도 않고 노골적으로 당나귀를 잡아먹으려고 성큼성큼 걸어왔다. 당나귀한테 바짝 다가선 늑대가 물었다. "왜 달아나지 않지? 잡아먹히는 게 무섭지도 않아?"

"물론 도망가고 싶어." 당나귀가 대답했다. "하지만 발에 큰 가시가 박혀서 도망을 가고 싶어도 못 가. 너무 아파서 살짝 디딜 수도 없으니 말이야. 날 잡아먹기 전에 먼저 가시부터 빼 줘. 그래야 먹어도 네 목에 안 걸릴 테니까."

"아, 그랬구나. 그럼, 좋아. 발을 한번 들어 봐." 늑대가 명령하듯이 말하고 나서 당나귀의 쳐든 발굽 밑으로 머리를 가져가서 가시가 어디 박혔나 살펴보려고 할 때였다. 그렇게 해서 딱 좋은 위치가 되자, 당나귀는 있는 힘을 다해서 늑대의 머리팍을 걷어찼다. 늑대는 그 자리에서 즉사하고 말았다.

■ 우리 주변엔 이제 착한 사마리아 사람들이 별로 없다

사자와 농부

정서불안 증상을 보이던 한 사자가 농부의 딸을 사랑해서 저 혼자서 속을 태우는 지경에 이르렀다. 그래서 사자는 농부한테 가서 딸을 달라고 했다.

사자를 사위로 둔다는 게 농부에게 반가운 일일 수는 없었다. 하지만 그렇다고 해서 섣불리 이 무지막지한 야수의 성질을 건드릴 수도 없는 노릇이었다. 그래서 농부는 재빨리 머리를 굴려 사자에게 이렇게 말했다. "자네의 그 크고 날카로운 이빨을 보면 우리 딸아이가 기겁을 할 걸세. 나도 솔직히 말해서 그게 좀 신경에 거슬린다네. 그러니까 정식으로 구혼을 하기 전에 우선 내 충고를 받아들여서 그 이빨부터 좀 뽑아버릴 수 없겠나?"

"남은 평생, 비록 옥수수죽만 먹고 살아야 한대도 기꺼이 그렇게 하겠소!" 사랑 때문에 제 정신이 아닌 사자가 버럭 소리를 질렀다. 그리하여 사자는 자기 이빨을 다 뽑고 나서 다시 농부 앞에 나타났다.

"사실 난 개인적인 인신공격은 좋아하지 않네만, 다 자네를 위해서 하는 말일세. 자네 그 발톱도 말이야, 너무 살벌하게 생겼어. 그런 게 있어서야 어디 꽃 같은 아가씨의 가슴에 낭만적인 감흥이 일어날 수 있겠나?" 농부의 말이었다.

"발톱이 없으면 좀 이상할 텐데……" 사자는 잠시 머뭇거리다가 이윽고 결심했다는 표정으로 말했다. "하지만, 뭐, 그렇게 해서라도 일만 잘 된다면야 까짓것 몽땅 다 뽑은들

어떻겠습니까?"

그리하여 사자는 발톱도 다 뽑아 버렸다. 그러고 나서 걸음이 좀 걸을 만해지자, 다시 농부를 찾아갔다. 헌데 이게 웬 일인가! 타고난 무기를 전부 상실한 모습을 본 농부는 몽둥이로 두드려패서 사자를 문 밖으로 쫓아내 버렸다.

밀림으로 다시 돌아온 사자는 다른 사자들의 비웃음을 사기에 충분한 몰골이었다. 심지어 생쥐까지도 자기를 만만하게 보고 조롱할 정도였다. 참담해진 사자는 절벽에서 악어들이 우글거리는 강물로 뛰어들어 스스로 목숨을 끊고 말았다.

■ 공짜 충고는 공짜 값을 한다

뼈다귀를 문 개

어떤 개가 입에 뼈다귀 하나를 물고 다리를 막 건너다가 다리 아래 수면에 비친 자기 모습을 보게 되었다. 뼈다귀 하나에 만족하지 못한 개는 탐욕스럽게도 물 속의 개가 물고 있는 뼈다귀도 마저 갖고 싶었다. 개는 강물을 향해 사납게 짖어댔다. 그러면 물 속에 있는 그 놈이 겁을 집어먹고 뼈다

귀를 그냥 버리고 갈 줄 알았던 모양이다. 하지만 그 바람에 자기가 물고 있던 뼈다귀만 물에 빠져 사라지고 말았다.

　개는 자기의 일거수일투족이 물에 그대로 비치는 광경을 보고, 자기가 보고 있는 것이 바로 자기 모습이라는 사실을 깨닫게 되었다. 물에 비친 자기 모습에 홀딱 반한 개는 이렇게 중얼거렸다. '아, 내가 이 정도로 잘 생긴 줄은 예전엔 미처 몰랐네! 저 깨끗하고 총명한 눈 좀 봐. 그리고 저건! 뼈대있는 집안의 자손이란 사실이 저 고상하게 생긴 앞이마에서 딱 드러나잖아? 그럼, 그럼. 저 강인한 턱 좀 봐. 저건 바로 다부진 내 성격을 그대로 나타내주는 거라고!'

　자기 장점을 조목조목 자세하게 연구해 볼 심산으로 몸을 조금만 더, 조금만 더 자꾸만 숙이던 개는 그만 물에 빠져 죽고 말았다.

■ 경의를 품기 전에 회의를 품으라

살무사와 호박벌

　환경에 적응도 잘하고 정서적으로도 무척 안정된 살무사
한 마리가 있었다. 그래서 이 녀석은 성격도 낙천적이고 항
상 삶을 즐기면서 사는 편이었다. 어느 날 이 살무사가 극히
비정상적일 정도로 공격적인 호박벌과의 싸움에 말려들게
되었다. 그 사악한 곤충은 이번 기회에 뱀한테 단단히 버릇

을 고쳐주어야겠다고 내심 작정을 하고, 뱀의 대가리 뒤쪽에 착 달라붙어 가차없이 침을 쏘아붙였다. 살무사는 미친 듯이 몸을 비틀어 보았지만 무자비한 호박벌을 떨쳐내기란 역부족이었다.

절망적인 심정에서 살무사는 자기 몸과 불청객을 함께 이끌고 쉴새없이 차량이 오가는 도로로 나섰다. 그리고 그냥 차도에 벌렁 드러누워 버렸다. 그러자 곧 자동차 한 대가 달려오더니 뱀과 함께 그 인정사정 없는 적을 한꺼번에 깔아뭉갰다. 말 그대로 눈 깜짝할 사이에 벌어진 일이었다.

■ 영리한 기생충은 때를 알고 미리 숙주의 몸을 떠난다

도끼를 잃어버린 나무꾼

강기슭에서 나무를 찍어내느라 여념이 없던 나무꾼 하나가 도끼를 어찌나 세차게 휘둘렀던지, 그만 도끼가 나무꾼의 손을 떠나 하늘을 '부웅' 날더니, 강물 속에 '풍덩!' 빠지고 말았다. 찢어지게 가난해서 도끼를 새로 살 형편이 못되었던 나무꾼은 갑자기 닥쳐온 불행에 넋을 잃고 울기만

할 뿐이었으니, 그건 도끼가 그야말로 생계를 꾸려나가는 유일한 생계 수단이기 때문이었다.

　신들의 심부름꾼인 헤르메스 신이 강둑에 나타나서 왜 그렇게 서럽게 우느냐고 물었다. 소박한 나무꾼의 가엾은 사연을 듣고 마음이 움직인 헤르메스 신은 곧장 강물 속에 뛰어들어가서 금도끼를 건져서 갖고 나왔다. 그리고 이렇게 말했다.

　"기뻐하라. 네 도끼를 찾았노라."

　"아, 아닙니다." 정직한 나무꾼이 대답했다.

　"그건 금으로 만들어졌지 않습니까? 그 도끼는 절대 제 도끼를 따라오지 못해요. 그 도끼는 날이 너무 약해서 억센 참나무는커녕 소나무 한 토막도 못 베겠네요."

　헤르메스는 다시 한 번 강물 속으로 다이빙을 해 들어가서 이번에는 은으로 만든 도끼를 들고 나왔다.

　"자, 여기 있다. 이젠 됐겠지." 헤르메스 신이 자신 있게 말했다.

　"그것도 아닙니다." 나무꾼이 대답했다.

"제 도끼는 강철로 만들어져 있어서 끝이 더 날카로워요."

"알았다." 헤르메스는 다시 한 번 더 강물로 들어가서 나무꾼의 진짜 도끼를 들고 나왔다.

"네, 그거예요. 맞아요!"

기쁜 나무꾼은 헤르메스 신의 친절한 마음 씀씀이에 진심으로 감사하다고 말했다.

나무꾼의 착한 마음씨에 기분이 좋아진 헤르메스 신이 말했다.

"정직은 반드시 보상을 받아야 한다. 그래서 나는 금도끼와 은도끼 둘을 모두 너에게 주겠다."

뛸 듯이 기뻐한 나무꾼은 곧장 집으로 달려가서 아내에게 세 자루의 도끼를 보여주고 동네 사람들에게 헤르메스 신을 만난 행운을 자랑했다. 이 이야기를 들은 이웃 사람 하나가 자기도 부자가 되어 보려고 흐르는 강물에 갖고 간 도끼를 던져 넣었다. 그리고 그 자리에 주저앉아 짐짓 울기 시작했다.

눈 깜짝할 사이에 헤르메스 신이 그 앞에 나타났다.

"저는 아내와 새끼들을 먹여 살리는 유일한 도구를 잃어

버렸습니다. 도끼가 저기 빠지고 말았습니다. 제발 자비심을 베푸시어 제 도끼를 찾아 주세요.” 거짓말쟁이가 호소했다.

헤르메스 신은 순간적으로 ‘아차!’ 싶었다. 예전에 그 나무꾼의 도끼를 찾아준 일 말이다. 그게 선례가 되어서 그리스 장안의 덜렁이 나무꾼들이 모두 자기한테 달려오면 그땐 아무 일도 못하고 밤낮으로 도끼만 찾아주느라고 정신을 못 차릴 것 아니겠는가! 그래서 헤르메스 신은 일부러 무뚝뚝하게 말했다.

“하늘은 스스로 돕는 자를 돕느니라. 행색을 보아하니 꾀죄죄한 게 강물 속에 들어가서 도끼나 찾으면서 제대로 목욕이나 한번 해 보는 것도 나쁘진 않을 법하구나.”

■ 좋은 기회가 눈앞에 어른거리면 정직한 사람도 두 손 들고 만다

늑대와 양

어렸을 때 형제들 사이의 경쟁에 너무 심하게 시달렸던
늑대 한 마리가 있었는데, 어느 날 길 잃은 양 한 마리를 생
포하게 되었다. 늑대는 이 포로를 그 자리에서 쓱싹 해치우
지 않고 우선 조금씩 고통을 주면서 쾌감을 얻으려 했다.

그래서 늑대는 남들이 보기에 당장 죽일 기세로 양을 덮
쳤지만, 양의 보드라운 솜털만을 살짝 깨물었을 뿐이다. 그
러고 나서 늑대는 나무 그늘에 느긋하게 주저앉아서 양한테
야한 이야기를 하든지 외설스런 노래를 부르든지 해서 자기
기분을 즐겁게 해 주도록 짐짓 무섭게 명령을 내렸다. 하지
만 양이 그런 이야기나 노래를 몰랐기 때문에 늑대도 하는
수 없이 다른 방도를 강구해야 했다. 늑대는 피리 하나를 만
들어 자기가 불면 양더러 춤을 추라고 했다.

피리 소리를 듣고 양치기가 개떼를 이끌고 달려와 금세 상황을 파악하고는 앞뒤 가릴 것 없이 늑대를 잡아서 죽여 버렸다.

그러나 양은 전혀 좋은 표정이 아니었다. "누가 당신더러 남의 일에 끼어들라고 했나요? 처음엔 좀 거친 매너 때문에 무섭고 놀랐지만 지금은 아니에요. 저 늑대가 나를 얼마나 좋아했다고요. 당신만 아니었다면 우린 곧 좋은 사이가 되었을 거란 말이지요. 한창 분위기가 무르익어 가는데 당신이 와서 다 망쳐놓은 거라고요." 양은 목동에게 이렇게 불평하는 것이었다.

■ 모든 가학성 음란증 환자에게는 일종의 피학성 기대심리가 잠재되어 있다

116

정열의 비버

정열과 낭만을 알 뿐만 아니라 이빨까지 썩 튼튼한 비버 한 마리가 결혼을 했다. 새로 맞아들인 각시를 위해서 비버 는 최대한 신경을 써서 장모와 잘 지내려 했다. 하지만 장모 는 지역 사회를 통틀어 가장 성질이 고약하기로 소문이 난 비버였다. 성심성의를 다한 사위의 곰살맞은 노력도 헛되이

장모 비버의 성격은 그다지 나아지는 기미가 보이지 않았다. 틈만 나면 남들 앞에서 사위 흉을 보기 일쑤였고, 딸한테도 사위의 별 것 아닌 실수를 일러바치는 것이었다. 엄마의 고자질만 아니라면 딸이 도저히 알아낼 수 없을 그런 시시콜콜한 잘못까지 말이다. 혹시라도 딸과 사위가 다투기라도 하면 그때마다 장모는 기다렸다는 듯이, 저 아무 짝에도 쓸모없는 건달한테 아까운 청춘을 고스란히 바치지 말고 어서 다른 데로 떠나자고 딸을 꼬드기곤 했다.

하루는 남편 비버가 독한 감기에 걸려서 꼼짝도 못하고 집에 누워 있게 되었다. 아내 비버는 아파서 누워 있는 남편을 두고 집을 나서기가 영 마음에 내키지 않았지만, 동네 주민 모두의 생사가 걸린 댐의 긴급 복구공사에 동원되는 바람에 집을 비울 수밖에 없었다. 문을 나가면서도 마음이 놓이지 않았던지 아내가 이렇게 말했다. "엄마한테 집에 좀 들러서 당신을 간호해 달라고 할 테니 너무 걱정 말고 몸조리나 잘 하세요."

이 말을 들은 남편 비버는 제발 혼자서 견디게 해 달라고 아내에게 사정을 했다. 하지만 아내는 아니었다. "당신이 우리 엄마한테 왜 그렇게 안 좋은 감정을 가지고 있는지 모르겠어요. 엄마가 사실 당신을 얼마나 좋아하고 있는데 그러세요? 그러니 차라리 잘됐잖아요. 이번 기회에 묵은 감정을 싹 다 풀어버리고 한번 잘 지내 보세요." 그리하여 아내 비버는 엄마한테 자기 남편을 잘 보살펴 달라고 부탁을 하고 집을 나섰다.

장모는 딸네 집에 들어서기가 무섭게 우선 욕부터 해대는 것이었다. "저런 놈팡이 좀 보게나. 여편네는 지금 젊은이들과 함께 댐 복구공사에 불려 나가 땀을 흘리고 있는 판에, 저 혼자만 여기 이렇게 누워 있다니! 쯧쯧." 하지만 사위의 체온을 재 보고 나서는 갑자기 태도가 싹 바뀌었다. "아이구, 이런, 자네 정말로 많이 아프구면. 가만, 가만히 있게. 내가 향나무 즙으로 가슴을 좀 문질러줄 테니. 그럼 아마 울혈증세가 훨씬 가라앉을 거야. 어려워할 것 없네. 내가 누군가? 자네 장모 아닌가, 장모."

그래서 비버는 장모가 향나무 즙으로 자기 가슴을 마사지

하도록 내버려 두었다. 처음에는 잘 몰랐지만, 시간이 지나면서 비버는 차차 치료의 손길이 유혹의 손길로 바뀌어가고 있음을 알아차리게 되었다. 소리쳐 부르자니 이미 늦기도 했고 또 너무 창피한 사건인지라 비버는 장모의 유혹에 그만 굴복하고 말았다. 비버의 독감은 열흘 동안이나 지속되었고, 물론 그 열흘 동안 장모도 곁에서 사위를 보살폈다.

병이 완쾌되고 나자, 사위와 장모 사이는 이만저만 좋아진 게 아니었다. 아내는 사태가 그렇게 갑자기 호전된 영문을 잘 모르면서도, 아, 물론 장인도 마찬가지였겠지만, 어쩐지 둘 사이가 너무 이상하다는 느낌을 갖게 되었다. 그래서 가끔 남편이 자기 엄마와 너무 친하게 지내지 말았으면 하고 속으로 생각하게까지 되었다.

■ 장모를 멀리하라. 두 가정이 행복해진다

꼬리 잘린 여우

　　여우가 어쩌다가 덫에 걸리고 말았다. 젖 먹던 힘까지 다 내서 덫을 빠져나오려고 아등바등 애를 쓴 끝에 간신히 자유의 몸이 되긴 했지만, 너무 기운을 쓰다 보니 그만 꼬리가 싹둑 잘리고 말았다. 그래서 덫의 날에 다친 상처가 아물 때까지 혼자서 굴 속에 꼼짝 않고 숨어서 지냈다. 그렇지만 상처가 다 낫고 나서도 밖에 나가서 돌아다니고 싶지가 않았다. 동료 여우들 보기가 창피했기 때문이었다.

'꼬리가 없는 모습을 보면 걔네들이 날 막 놀리고 난리를 쳐대겠지?' 여우는 혼자서 생각에 잠겨 보았다. '다들 꼬리가 있고 나만 꼬리가 없다면, 내 여생이 비참할 수밖에 없어. 어디 쥐구멍에라도 그냥 팍 숨어 버리고 싶어, 있기만 있으면 말이야.'

생각에 생각을 거듭한 끝에 한 가지 꾀가 떠오른 여우는 의기양양하게 동료들 사이로 다시 돌아갔다.

"야, 너 어디 갔다 왔니? 그동안 안 보이던데." 친구들은 오랜만에 돌아온 여우를 보기가 무섭게 곧장 이렇게 물어왔다.

"아, 응, 성형수술 좀 하고 왔지." 주인공 여우는 말이 채 떨어지기도 전에 이렇게 말하면서 몸을 돌려 친구들에게 꼬리가 잘린 모습을 보여 주었다.

"돈도 엄청 많이 들고 아프기도 무지 아팠지만 그래도 내가 그 힘든 수술을 끝까지 다 견뎌낸 게 자랑스러워."

다른 여우들이 생전 들도 보도 못한 이상야릇한 수술을 왜 받게 되었느냐고 물어 오자, 주인공 여우는 마치 기다렸 다는 듯이 교활하게 대답했다.

"사실 꼬리라는 게 말이야. 아무 쓸모가 없고 한물 가도 한참 간 옛날 구닥다리 유행이어서, 아, 뭐랄까, 그게 꼭 맹 장 같은 존재라니까. 괜히 꼬리라고 달려 있으면 여름엔 덥 고 겨울엔 춥기만 하지 뭐. 그뿐인가? 집 없는 이, 벼룩, 진 드기 같은 놈들의 대피소도 된단 말씀이야. 그런 건 다 좋다 고 해. 사실 진짜 중요한 건 말이야, 사냥꾼들이나 사냥개들 이 우리를 잡으려고 달려들 때야. 필사적으로 달려서 도망 을 가도 될까 말까 한 순간에 그 놈의 꼬리 때문에 속력이 떨어지게 된다 이 말씀이야. 놈들이 딱 잡기 좋은 손잡이를 달고 다니는 격이지. 여러 말 할 것 없고, 한 마디로 말해서 꼬리는 보기에도 안 좋고 위생에도 안 좋고 생명에도 오히 려 큰 지장이 된다 이 말씀이지."

논리정연한 설명에 그만 넘어간 다른 여우들이 모두 꼬리 를 자르는 데 기꺼이 찬성했다. 그런데 딱 한 마리 늙은 여우가 이들의 앞을 가로막으며 이렇게 말하는 것이었다. "자네가 지금까지 한 말이 전부 사실일 수도 있어. 하지만 말이야. 우리 여자 여우들이 꼬리 없는 남정네들을 좋아할까?"

원로 여우의 이 말 한마디가 여우들의 결심을 다시 원상태로 바꾸어 놓았다. 그리하여 여우들은 꼬리를 그대로 달고 다니기로 했다.

■ 본능, 본능 하지만, 동물의 구애에도 약간의 광고가 필요하다

경건한 노부부

　서로를 무척이나 사랑하며 또 만나는 사람 누구에게나 친
절한 노부부 한 쌍이 있다는 이야기를 익히 들은 헤르메스
신은 남루한 여행객으로 변장해서 그 노부부의 오두막에 모
습을 나타냈다. 할아버지는 채석장에 일을 나가고 없었기
때문에 할머니가 손님을 맞이했다. 할머니는 어서 오시라는

인사와 함께 곧 물을 한 대야 떠다 주면서 손님더러 발을 씻고 기운을 차리시라고 했다.

양식이라곤 사실 두 부부가 먹을 것밖에 없었지만, 할머니는 마지막 남은 한 주전자의 우유와 한 조각의 빵을 낯선 여행자 앞에 즐거운 마음으로 내놓았다. 헤르메스 신이 아주 게걸스럽게 먹어치웠지만, 그래도 할머니는 뭐라고 싫은 소리를 하기는커녕 오히려 더 대접할 것이 변변히 없어서 미안하다고 사과를 할 정도였다.

역시 이 부부에 대한 평판은 사실과 다르지 않구나 하고 생각하면서 헤르메스 신은 자신의 신령스러운 본모습을 드러냈다. 할머니가 소스라치게 놀랐지만, 헤르메스는 나직하게 말했다. "나는 일부러 너희에게 상을 내리려고 여기 왔노라. 황금이 갖고 싶으냐? 아니면 너희 농토를 아테네 제일 가는 옥토로 만들어 주랴?"

그러나 할머니는 한참을 생각한 끝에 고개를 가로저으며 대답했다. "싫습니다. 재산이야 지금까지 부족할 줄 모르고 지내 왔는데요, 뭐. 단 하나 소망이 있다면, 제가 우리 영감보다 먼저 죽을 수 있었으면 하는 것입지요. 영감 없이 산다는 건 견딜 수 없으니까요."

"그렇다면 너를 다시 젊고 아리따운 아가씨로 만들어 주는 건 어떻겠느냐?" 헤르메스가 물었다.

"아니, 싫어요. 영감보다 오래 살지 않도록만 해 주세요." 할머니의 대답은 한결같았다.

"정 그렇다면 그리 되도록 해 주겠노라." 말을 마치면서 헤르메스 신도 자취를 감추었다.

할머니는 자신이 헤르메스 신의 방문을 받았다는 말을 할아버지에게 입도 벙긋하지 않았다. 그렇지만 곧 자기가 없어지면 할아버지가 혼자 어떻게 살아갈까, 걱정이 되기 시작했다. 그래서 할머니는 자기가 황천으로 가면 꼭 재혼을 하라고 할아버지에게 자꾸자꾸 말했다.

하지만 할아버지는 항상 입버릇처럼 대답했다. "임자가 아직 통나무처럼 단단한데 뭘 그런 쓸데없는 얘길 하고 그러나? 그런 얘기는 아직 더 있다가 해도 돼. 아무튼 난 너무 늙어서 생판 모르는 낯선 여자를 집에다 들여놓고는 마음이 불편해서 단 하루도 견딜 자신이 없단 말씀이야. 더군다나 나 같은 늙은이를 어느 여자가 좋아하겠어?"

"자상한 남편과 아담한 농장을 가질 수 있다면야 여자한테 그만이지요. 영감은 돌봐 줄 사람이 필요해요. 밥도 때맞춰 해 줘야 하고, 밭에서 일하고 돌아오면 시원한 샘물을 길어다 목도 축이고 손도 씻을 수 있게 해 줘야죠. 그걸 다 누가 하나요? 여자가 아니면 안 된다니까요." 할머니의 논리는 자못 비장했다.

이런 식으로 할머니가 끊임없이 잔소리를 해 대면서 하도 달달 볶는 바람에 마침내 할아버지도 재혼을 한다고 마지못해 동의하고 말았다. 막상 할아버지가 재혼을 하겠다고 약속을 하고 나니, 할머니한테는 또 다른 고민거리가 생겨났다. 한동안 생각에 잠겨 있던 할머니가 할아버지한테 가서 말했다. "유언장을 작성하기 전까지는 편안한 마음으로 눈을 감을 수가 없을 것 같으니, 읍내에 나가서 공증인을 좀 불러오시구려. 유언장을 만들게 말이에요."

"유언장이라니!" 할아버지가 펄쩍 뛰면서 말했다. 필경 할머니가 실성한 것이라고 생각했다. "임자, 당신이 무슨 재산이 있다고 물려주고 말고 한단 말이오? 기껏해야 주전자 한두 개와 프라이팬 서너 개인데." 그렇지만 할머니가 하도 완강하게 주장을 하는 통에 할아버지도 하는 수 없이 공증인을 부르러 갔다.

공증인과 단 둘이시만 남게 된 할머니가 하나씩 일러 주었다. "모든 게 사랑하는 남편 몫이라고 쓰세요. 이기적인 친척들 몫은 하나도 없어요. 그리고 우리 저 착한 양반이 재혼을 하고 나면, 새 마누라에게 내 소중한 모든 걸 주겠어요. 페니키아에서 수입한 은 머리핀, 거북껍질로 만든 머리빗 세트, 유리 노리개, 금반지 일체를 주겠어요."

공증인이 집을 나서기가 무섭게 헤르메스 신이 할머니 앞에 나타났다. "왜 거짓으로 유언을 했지?" 화가 난 목소리로 헤르메스가 다그쳤다. "너처럼 가난한 농부의 아내가 가진 게 뭐가 있다고 그런 거짓말을 했느냐 말이야. 갖지도 않은 물건을 할아버지의 후처한테 주겠다고 유언장에 적어 놓다니, 이게 어떻게 된 거지?"

"그렇게 쓸 수밖에 더 있겠어요?" 가련한 할머니가 되물었다. "지조없는 영감이 약속까지 했으니 필경 재혼을 하겠지요. 하지만 이제 이렇게 떡 하니 유언장까지 만들어 놨으니, 새 마누라는 진짜로 자기한테 넘어올 값진 보물이 있는 줄만 알 테고, 날이면 날마다 보물을 내놓으라고 영감을 쪼아대면서 잠시도 가만 안 놔두고 못 살게 굴겠지요. 잘하면 한 달도 못 가서 영감도 황천으로 올 테고 그러면 우린 다시 합칠 수 있겠지요."

■ 사랑과 다이아몬드는 진흙에 섞여서 나온다

심술쟁이

    이슬람의 군왕인 술탄의 궁전에 들어선 한 귀족 청년이
우연히 왕비들 가운데서 가장 어리고 어여쁜 아가씨를 스쳐
지나간 후 자기도 모르게 사랑에 빠졌다. 청년은 머리를 짜

---

*구유 : 가축의 먹이를 담아 주는 통

내고 또 짜내서 마침내 그 왕비를 만날 기회를 얻었지만, 기쁨도 잠시, 침실을 호위하던 내시에게 발각되었다.

"잠깐만요! 경비병은 좀 있다가 부르시고요." 귀족 청년이 내시에게 말했다. "이 반지가 마음에 드실지 모르겠습니다." 청년은 갖고 있던 커다란 루비 반지를 내놓았다.

"난 내 직무에 충실할 따름이다." 내시가 우직하게 말했다.

청년은 이제 내시의 선한 성품에 한 가닥 기대를 걸 수밖에 없게 되었다. "술탄께서는 필경 저를 팔팔 끓는 물에 처넣으실 겁니다. 앞길이 구만리 같은 젊은 놈이 그런 식으로 죽어야 하다니, 참 허무합니다. 제가 그렇게 처참하게 죽고 나면 내시님도 그 일이 양심에 걸려 괴로워하실지 모릅니다." 청년이 호소했다.

"다 네 잘못인데 누구를 원망하겠는가?" 내시의 대답에는 아무런 감정도 묻어 있지 않았다.

자기 잘못을 최대한 줄여 보려는 심정에서 청년은 계속 내시에게 매달렸다. "그 여자야 술탄한테나 쓸모가 있지,

사실 당신 같은 내시한테야 무슨 소용이 있겠습니까? 술탄한테도 아주 가끔씩만 필요하다는 건 당신이 더 잘 알고 계실 겁니다. 그러니까 그냥 놔두면 그대로 썩어 문드러질 몸을 제가 좀 탐했다고 해서 그게 그렇게 목숨을 내놔야 할 만큼 큰 죄란 말입니까?"

이 말을 들은 내시는 불같이 화를 내면서 경비병들을 불렀다. 그리하여 청년은 술탄 앞으로 끌려나갔다. 자초지종을 다 들은 왕은 깊은 한숨을 쉬며 말했다. "아, 아쉽도다. 내가 만일 다시 한 번 젊어져서 사랑하는 여인에게 목숨까지 바칠 수만 있다면 무슨 일인들 어찌 마다하리!" 용감했던 젊은날의 기억에 마음이 누그러진 술탄은 그 청년을 풀어주라고 명령을 내렸다. 그리고 선물로 '잘못을 저지른' 아내까지 하사하고, 가장 아름답지만 가장 멀리 떨어진 영토의 한 구역을 둘이서 함께 다스리라고 했다.

하지만 예의 그 내시는 지나치게 감상적이고 관대한 처분에 화가 난 나머지, 그 길로 침실 호위병 직책을 박차고 나와서 잡화점을 개업했다. 도시의 여인들에게 향수도 팔고

연고도 팔고 화장품도 팔고 해서, 그 내시는 얼마 안 가 술
탄만큼 큰 부자가 되었다.

■ 하기야, 구유 속이 아늑하긴 하겠지만……

노인과 애인

인생 황혼기에 접어든 한 노인이 있었다. 노인은 자기 조강지처한테서 별 매력을 느낄 수가 없었다. 그래서 노인은 젊은 아가씨를 애인으로 삼게 되었다. 이 사실을 알게 된 노인의 본처는 틈만 나면 영감의 검은 머리카락을 부지런히 뽑았다. 그래야 거울을 보다 보면 자기가 그런 어리석은 짓

을 벌일 나이가 아니라는 사실을 깨달을 수 있을 것이기 때문이었다.

그러면 또 애인 쪽은 가만히 있었느냐 하면 그게 아니었다. 젊은 아가씨는 노인을 애인으로 두고 있다고 남들이 수군거리는 게 싫어서 노인의 흰 머리카락을 뽑아내기에 여념이 없었던 것이다. 두 여인의 악착같은 제초 작업 덕분에 노인은 순식간에 대머리가 되고 말았다.

■ 대머리에는 치료약이 없다

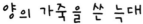
양의 가죽을 쓴 늑대

엉뚱하고 괴상한 옷을 입는 데서 강렬한 쾌감을 느끼는 이른바 '복장도착'(服裝倒錯) 성향이 있는 어린 늑대 한 마리가 있었는데, 어느 날 우연히 양가죽을 보게 되었다. 이 녀석은 냉큼 그 양가죽을 주워 입고서 집으로 돌아왔다. 그리고 새 옷을 입은 모습이 얼마나 멋지냐며 부모 앞에서 한

바퀴 빙그르르 돌아보았다.

"당장 벗어 던지지 못해! 어디서 그따위 바보 같은 물건을 주워 온 거야?" 아버지 늑대가 으르렁거렸다.

"얘야, 너한테는 안 어울려. 오히려 멍청해 보인단다." 어머니 늑대가 좀 부드럽게 타일렀다.

양가죽을 벗기 싫었던 어린 늑대는 이렇게 말했다. "엄마 아빠한테는 이 옷이 우습게 보일지 모르지만, 양치기나 개들한테는 친근하게 보일 거야. 이 옷으로 변장을 하면 놈들을 가볍게 속여넘기고 양들 사이에 슬쩍 끼어들 수도 있어. 그럼, 우린 아무 때나 양고기를 먹을 수 있게 되는 거란 말이지."

"와! 그 녀석, 똑똑한데!" 아버지 늑대가 감탄했다는 듯이 말했다. "네 녀석도 제법 한 머리 하긴 하는구나."

"이 아이는 머지 않아 우리 동네에서 가장 훌륭한 늑대가 될 거예요, 여보." 엄마 늑대가 자랑스럽게 남편에게 말했다.

그리하여 어린 늑대는 양의 가면을 쓰고 가까운 목장으로 가서 양떼와 어울렸다. 양치기는 그저 길을 잃고 헤매던 어린 양 한 마리가 다시 집을 찾아왔나 보다 생각할 뿐 더 이상 신경을 쓰지 않았다.

하지만 이 녀석은 혼자서 생각을 해 보고 있었다. '아마 저 놈들은 틀림없이 나를 의심할 거야. 당분간은 진짜 양처럼 보이도록 몸조심을 해야지.'

그래서 이 녀석은 다른 양들처럼 풀도 뜯어먹고, 어린 양들과 유치한 놀이도 같이 놀아 주고, 밤에는 다른 양들과 한데 엉켜 잠을 잤다.

그런데 이런 식으로 며칠이 지나고 나자, 이 녀석은 풀이 고기보다 더 맛있고 양들도 보기보다 훨씬 지혜롭다는 사실을 알게 되었다. 그리하여 엄마와 아빠 늑대가 펄펄 뛰면서 말렸음에도 아랑곳하지 않고 이 어린 늑대 녀석은 늙어서 죽을 때까지 양들과 함께 지냈다.

■ 확실한 변장이 최상의 방어다

황금을 도둑맞은 구두쇠

옛날 옛적 아테네에 한 구두쇠가 살았는데, 이 사람을 가만히 보니 자기가 벌어들인 돈을 모두 황금으로 바꾸는 것이었다. 그리고는 황금을 모두 녹여서 덩이덩이로 만든 다음에 도둑들의 눈을 속이려고 황금덩이 곁에다가 돌멩이 색깔을 칠했다. 구두쇠는 이 돌덩이, 아니 황금덩이를 금고에

넣어서 자기만 아는 비밀 장소에 파묻어 두었다. 그리고 틈만 나면 금고를 혼자 파보고 자신이 이룩한 거대한 재물더미에 웃음을 짓곤 했다. 황금을 사들이기만 하고 절대 쓰지 않는다는 이 구두쇠의 소문을 들은 한 도둑이 세밀한 관찰 끝에 보물이 숨겨진 비밀 장소를 알아냈다. 도둑은 금고를 파내서 품에 안고 얼씨구나 하고 도망을 쳤다.

몰래 숨겨둔 보물을 도둑 맞았다는 사실을 안 구두쇠는 입고 있던 옷까지 마구 찢으며 울고불고 생난리를 쳤다. 비탄, 고통, 회한이 가득 찬 울음바다 바로 그 자체였다. 구두쇠의 울음소리는 바람을 타고 올림포스 산에까지 올라갔다. 그리하여 제우스 신도 비탄에 가득찬 이 사나이의 슬픔에 대해서 호기심을 갖게 되었다. 제우스는 가축 장수로 변장해서 구두쇠 앞에 나타났다.

"황금이 얼마나 있으면 부인과 아이들을 먹여 살릴 수 있겠소?" 제우스 신이 물었다. 도둑맞은 황금 대신에 그만큼 다른 황금을 갖다줄 요량이었다.

"나는 아내도 없고 아이들도 없소이다. 난 결혼 생활을 할 여유가 없어요." 구두쇠가 대답했다.

"그럼 지금까지 그 황금을 그대 자신만을 위해서 썼단 말입니까?"

"쓰다뇨? 오직 모아두기만 했죠."

"내 생각에 도둑을 잡거나 황금덩이를 다시 찾을 가능성은 없을 것 같소이다." 제우스가 말했다. "하지만 그 때문에 슬퍼할 필요는 없겠소이다. 그냥 모아두기만 할 작정이라면 돌멩이를 모아두어도 상관이 없지 않겠소? 돌멩이라면 어디서든 얼마든지 구할 수 있을 테니 말이오. 어디 한번 돌멩이를 애지중지해 보시구려. 설마하니 돌멩이들이 입이 달려서 "난 황금이 아니오!"하고 말할 리도 없을 테고."

이 충고에 구두쇠는 별 멍청한 소리를 다 듣겠다며 욕지거리를 퍼부어 제우스 신을 쫓아내고는, 사라져 버린 자기 보물을 두고 다시 애통해했다. 그러던 어느 날 구두쇠는 자기 금덩이 하나와 너무나 똑같이 닮은 돌멩이를 발견하게 되어, 그 돌멩이를 주워다가 금고 속에 넣어두었다. 그 후로 구두쇠는 금덩이와 닮은 돌멩이만 보면 모아들여 수집품 목

록을 늘려 갔다.

황금 대신 돌멩이를 모아놓고 혼자서 흐뭇해하던 구두쇠는 차차 광물학과 지질학, 기타 관련 학문에 흥미를 갖게 되었다. 이윽고 구두쇠는 고생물학자가 되었다. 학문에 이렇게 사로잡히는 것은 가벼운 정도의 강박증이어서 먼젓번의 그런 광기보다 사회적 질투심도 훨씬 덜했다. 그 구두쇠는 수많은 이웃들한테서 호감을 샀으며, 소문을 듣고 소크라테스까지 찾아와서 화석(化石)과 수석에 대한 강의를 들을 정도였다.

■ 상징은 돈을 주고 살 수 있지만, 경지는 노력해서 얻어야 한다

병든 농장집 개

농장을 지키는 개가 아주 지독한 천식에 걸렸다. 목이 무지무지하게 아프기도 아팠지만 주인한테 알리면 늙고 쓸모 없는 놈이라고 죽임을 당할까봐서 아무 말도 못하고 혼자서만 끙끙 앓고 있을 뿐이었다. 그래서 그 개는 자연치료법과 생약 처방의 제일인자로 명망이 높은 부엉이한테 도움을 청하기로 했다.

"아, 그래, 나도 언젠가 들쥐를 너무 많이 잡아먹었을 때 너하고 똑같은 병에 걸렸었지." 부엉이가 말했다. "그러니까 한 두어 주일 동안만 쥐를 먹지 말아 봐. 그럼 아마 곧 완쾌될 거야."

"근데 난 쥐를 안 먹는데?" 개가 대답했다. "내 임무는 닥치는 대로 쥐를 죽이는 일이야. 하지만 입에 안 맞아서 쥐를 먹지는 않거든."

"그럼 그래서 그런 거야." 부엉이가 다시 말했다. "넌 하루에 적어도 쥐 세 마리는 먹어야 돼. 한 가지 주의할 점은 말이야, 반드시 통째로 삼켜야 한다는 거지. 털, 꼬리, 머리 할 것 없이 말이야. 난 항상 그런 방식으로 섭생을 해서 최상의 건강 상태를 유지하고 있어. 알겠니?"

그래서 개는 부엉이의 충고에 따라 그렇게 먹어 보았지만, 아무래도 그 처방은 너무 역겨웠다. 개는 하는 수 없이 날쌔고 활력이 넘치기로 이름난 나이가 지긋한 다람쥐를 찾아가서 참신한 의견을 듣기로 했다.

"그건 운동을 안 해서 그래. 눈에 보이는 가장 높은 나무
에 올라가서 하루 종일 이 가지 저 가지를 뛰어다녀 봐. 그
럼 아마 단번에 좋아질 거야."

"하지만 난 아주 작은 나무도 타 본 적이 없는데?" 개가
풀 죽은 모습으로 대답했다.

"건강이 제일이라고 진정으로 생각한다면, 지금 당장 운
동을 시작하는 게 좋아." 말을 마치기가 무섭게 다람쥐는
자기 충고를 직접 시범이라도 해 보이려는 듯이 훌쩍 나무
위로 뛰어올랐다.

개는 키 작은 나무에라도 올라가 보려고, 진지하게 노력
을 해 보았지만, 오히려 허리만 삐끗했을 뿐이었다. 그래서
개는 좀더 나은 조언을 들으려고 현명한 수탉을 찾아갔다.
"나도 한때 급성 후두염이라는 병에 걸려서 고생한 적이 있
었지. 자네가 지금 고생하고 있는 천식하고 아주 비슷한 거
였어." 수탉이 천천히 말했다. "언제 그 병이 생겼느냐 하
면, 나하고 같이 자는 암탉들 가운데 우리 엄마도 끼어 있었
다는 사실을 알고 엄청 수치심을 느꼈는데, 바로 그때부터

였어. 너도 잘 알고 있겠지만, 생리학적으로 보면 천식은 일종의 울음이라고 볼 수 있어. 잠재의식이나 무의식에서 느끼는 죄의식이 겉으로 드러나는 울음 말이야. 유일한 치료법은 엄마하고의 그런 관계를 청산하는 방법뿐이지."

"우리 엄마는 벌써 여러 해 전에 돌아가셨어." 개가 슬픈 어조로 대답했다. "나한테 맞는 처방이 빨리 찾아지지 않는다면, 머지않아 하늘나라에 가서 엄마를 만나야 할 판이라네."

절망에 빠진 개는 이제 마지막으로 주인을 찾아가서 수의사를 불러달라고 부탁할 수밖에 없었다. 주인은 현관에 흔들의자를 놓고 떡 하니 앉아 있었다. 저녁식사를 본격적으로 들기 전에 양유 치즈와 올리브로 가볍게 간식을 들면서 농장에서 일꾼들이 일하는 모습을 지켜보고 있는 중이었다. 개의 말을 들은 주인이 버럭 소리를 질렀다. "뭐, 수의사를 불러 달라고! 이 놈이 정신이 있나, 없나! 내가 네 병명을 말해 주지. 바로 살찐 게으름뱅이 병이다. 넌 먹기만 죽어라 먹고 일은 죽어라 안 해. 이제부터 내가 너를 위해 다이어트도 시켜 주고 일감도 듬뿍 갖다 주마."

　그리하여 개는 일주일 동안 음식 한 조각 입에 안 대고 격렬한 노동만 하다가 아주 평온한 마음으로 일생을 마쳤다.

■ 언제나 자기와 같은 병을 가진 의사를 찾아가도록 하라

들쥐와 개구리

부끄럼을 많이 타는 내성적인 성격의 들쥐가 어쩌다가 외향적인 성격의 개구리와 친하게 되었다. 개구리는 좀 가학적인 취미를 가지고 있어서 짓궂은 장난으로 친구들을 괴롭히는 일이 잦았다. 그런데도 들쥐는 이 개구리와 친하게 지내는 게 좋은 일이라고 생각했다. 그야말로 성격이 화통한

이 개구리는 발이 넓어 인근에 모르는 동물이 없고, 어디든 안 가 본 데가 없을 뿐만 아니라, 무슨 일이든 닥쳤다 하면 휙휙 활기차게 처리해놓기 때문이었다.

어느 날 그 개구리가 이런 제안을 해 왔다. "우리, 우정의 징표로 발 하나씩을 함께 묶어 보면 어떨까?" 조금은 감상적인 이 제안이 들쥐에겐 눈물이 앞을 가릴 정도로 감동적인 것이어서 들쥐 쪽에서도 당연히 찬성이었다.

서로 발을 꽉 묶고 난 들쥐와 개구리는 밀밭에서 함께 저녁 식사를 했다. 이때는 별 문제가 없었다. 헌데 일은 그 다음에 벌어졌다. 저녁을 먹고 나서 둘은 산책을 하다가 연못을 지나치게 되었다. 연못을 보자, 개구리는 친구를 달고서 물에 풀쩍 뛰어들었다. 들쥐는 곧장 익사하고 말았다.

"하여간에 쥐새끼들은 죄다 이렇게 멍청하다니까!" 개구리는 이렇게 빈정거리면서 물에 빠져 죽은 친구를 떨쳐 버리려고 발을 묶은 끈을 풀기 시작했다. "그 녀석은 내 제안을 계속 장난 정도로 생각하더라니까."

개구리가 끈을 푸는 일에 정신이 팔려 있을 때, 그만 창공을 빙빙 돌던 매의 레이더에 걸려들고 말았다. 자기가 저지른 장난의 희생물 때문에 몸이 부자연스럽던 개구리는 매의 사정권에서 달아날 수 없었다. 덕분에 매는 두 가지 고급 요리로 양껏 배를 채울 수 있었다.

■ 상극끼리 같이 있어 봐야 서로 피곤만 할 뿐이다

새장 속의 새

한 소년이 풀밭에서 노래 부르고 있던 새를 한 마리 잡아
서 집으로 가져와 새장에 집어넣고 창가에 두었다. 새는, 낮
에는 조용히 있다가, 밤만 되면 노래를 했다. 노랫소리를 듣
고 올빼미가 왜 밤에만 노래를 하느냐고 새한테 물었다. 새
의 대답은 이러했다.

"저 아이가 나를 잡아다가 새장에 가두게끔 만든 게 바로 내가 낮에 부른 노랫소리 때문이잖아. 그때 난 아주 중요한 교훈을 얻었어. 그래서 이렇게 밤에만 노래를 부르는 거야."

"참으로 현명한 예방책이군, 잡히기 전이었다면 말이야."
이건 올빼미의 심사평이었다.

■ 오늘 슬픔을 좀 아껴 두라. 내일도 괴로운 일이 있을 테니까

외눈박이 사슴

사냥꾼이 쏜 화살에 맞아서 한쪽 눈이 멀게 된 사슴이 있었다. 이 사슴은 이렇게 생각했다. '바닷가에 가서 풀을 뜯어먹어야지. 못 쓰게 된 눈을 바다 쪽에 고정시켜 놓으면 나머지 성한 눈으로 조심해서 수풀 쪽을 잘 경계할 수 있으니 안심이란 말이야.' 그리하여 사슴은 바닷가로 가서 풀을 뜯

었다. 물론 수풀 쪽 너머만을 예의주시하면서.

그런데 배 위에서 고기를 잡고 있던 낚시꾼들이 사슴을 발견하고서 바닷가로 배를 몰아오는 게 아닌가! 이들은 사슴의 '가짜' 눈 쪽으로 다가왔기 때문에 아무 어려움 없이 사슴을 생포할 수 있었다. 그래서 낚시꾼들은 그날 밤 저녁 식사로 청어구이 대신에 통사슴 바비큐 요리를 맛나게 먹을 수 있었다.

■ 도망치는 자, 언젠가는 붙잡힌다

조각가와 아프로디테

한 조각가가 여인상을 만들었는데 어찌나 조각이 아름답던지 자기가 깎은 그 여인상과 그만 사랑에 빠지고 말았다. 조각가는 하루종일 식음을 전폐하고 그 여인상 앞에 앉아서 밤이나 낮이나 고뇌와 열정에 휩싸인 눈으로 그 여인을 응시하는 것이었다. 나서 죽는 우리네 인간 여성에게는 결코

만족을 느끼지 못하리라는 사실을 깨달은 조각가는 사랑의 여신 아프로디테에게 빌었다. 그 대리석 조각 여인을 살아 움직이는 사람으로 만들어 달라고 말이다.

절망적인 사랑을 호소하는 조각가의 애틋한 마음에 감동한 감상적인 여신 아프로디테는 기도를 들어주어 여인상에다 생명을 불어넣어 주었다. 절정의 황홀감에 휩싸인 조각가는 아프로디테에게 한없는 감사의 기도를 드리고 또 드렸다.

그러나 조각가로서는 여인상에 구현한 아름다움을 어떻게 아무 탈 없이 고스란히 본래 모습 그대로 지키느냐가 말할 수 없이 어려운 일이었다. 그래서 조각가는 자신의 우상에게 말했다. "넌 밖에 나가지 말고 집안에만 있어야 해. 아슴푸레하게 창백한 뺨이 봄 햇볕에 그을리면 안 되잖아. 그리고 또 있어. 내가 너한테 준 섬세한 피부가 저녁 바람에 거칠어질지도 몰라."

이러고도 안심이 안 되었던지 조각가는 먹지도 마시지도 못하게 했다. "됐어, 그만 먹어." 그 불쌍한 여인이 뭘 좀 입에다가 가져가기라도 하는 날에는 그렇게 해서 못 먹게 하는 것이었다. "살이 찌면 어떻게 되는지 알기나 하니? 완전 무결한 균형, 조화, 비례가 모두 깨지고 마는 거야. 내 천재성이 유감없이 발휘된 그 절묘한 우아미(優雅美)가 물거품이 된단 말이야."

감자껍질도 못 벗기게 했고, 설거지도 못하게 했으며, 마룻바닥에 걸레질도 못 하게 했다. 한마디로 집안 일은 전부 자기가 도맡아서 한 것이다.

이런 처지에 놓이다 보니 그 여인은 서서히 자기 주인과 같이 사는 일상이 지루해지기 시작했다. 그리하여 여인은 사랑의 여신 아프로디테에게 기도를 드렸다.

"조각가가 사랑하는 건 제가 아니라 자기 작품이에요. 그러니 다시 예전의 조각상으로 돌아가게 해 주세요. 제발 부탁입니다."

아프로디테는 현명하게도 이 기도를 받아들여 양쪽 모두가 만족을 느끼게 해주었다.

■ 사랑에 간섭하느니, 차라리 대리석을 가지고 애인을 만드는 게 훨씬 쉽지 않겠는가?

158

병사와 전쟁터의 말

주력과 힘이 월등해서 주인을 전쟁터에 수없이 태우고 다니면서도 상처 하나 없게 지켜주던 명마가 한 마리 있었다. 주인 병사는 당연히 자기 말을 자랑스럽게 여겨, 각별한 애정과 관심을 가지고 보살폈다. 심지어 말한테 양껏 먹을 만큼 보리와 물을 먼저 갖다 주지 않으면 그때까지 자기도 음

식을 전혀 입에도 대지 않을 정도였다. 털도 매일같이 잘 손질해 주었고, 혹시 상처라도 나면 잊지 않고 정성껏 고약을 발라 주었다.

그런데 전쟁이 끝나고 나자 주인은 말을 밭에 내몰아 일을 시켰다. 말은 쟁기도 끌고, 무거운 바윗덩이도 나르고, 낑낑대고 마차도 끌어야 했다. 그렇게 고된 일을 하는데도 먹이는 왕겨와 밀짚이 고작이었다.

그러던 와중에 다시 전쟁이 터졌다. 주인은 무장을 다 갖춘 다음에 말안장에 다시 한 번 올라탔다. 그렇지만 평소에 잘 먹지도 못하고 일만 죽어라 하다 거의 탈진 상태에 이른 말은 제대로 달릴 수가 없었다. 한 발 한 발 옮길 때마다 여기서도 절뚝거리고 저기서도 절뚝거리며 그야말로 말이 아니었다. 병사가 말을 꾸짖자, 말이 이렇게 대답했다. "내가 전쟁터의 명마로 계속해서 멋지고 힘차게 달리길 바랐다면, 왜 나를 농장의 당나귀처럼 취급하셨나요?"

■ 아내에게 바치는 정성을 애인에게 들키지 말라

참나무와 갈대

참나무 한 그루가 강인한 힘을 자랑하면서 옆에 있는 갈대를 은근히 비웃었다. 갈대는 바람이 조금만 불어도 그냥 고개를 숙이고 굽실댄다는 것이었다. 참나무가 엄청나게 강직한 자기 몸통과 무지하게 깊이 박힌 뿌리를 한참 자랑하고 있는데, 갑자기 난폭한 돌개바람이 불어왔다. 힘이 센 참

나무는 이 폭풍에 지지 않으려고 안간힘을 쓰다가 그만 땅에 쓰러지고 뿌리도 뽑혀서 갈가리 찢기고 말았다.

참나무는 쓰러졌는데 자기들은 살아남을 수 있었던 행운에 대해 갈대들이 한창 자랑스럽게 서로 떠벌리고 있던 참이었다. 바로 그때 아이들이 쓰러진 참나무 주위로 몰려와서 놀기 시작했다. 아이들은 재미 삼아 옆에 있던 갈대를 한 움큼씩 잡아뜯어서는 이리저리 함부로 내팽개쳤다. 들판에 뽑혀 버려진 갈대들은 한낮의 뜨거운 태양 아래서 모조리 말라 죽고 말았다.

■ 오늘날, 그나마 안전을 보장해 주는 것이라고는 사회보장 제도뿐이다

캥거루와 새끼

　자기 남편이 한 무리의 사냥꾼들에게 잡혀가 죽은 줄도 모르고 어미 캥거루는 그만 남편이 자기를 버렸다고 결론을 내려 버렸다. 이렇게도 지조가 없다니! 상상 속의 배신이 가져온 쓰라린 고통을 안고 어미 캥거루는 자기 아들한테 선언했다. "오, 불쌍한 내 새끼야, 네 아빠란 작자는 아무 짝

에도 쓸모가 없단다. 가정을 지키려는 굳은 결심도 없고 제 새끼에 대한 애정도 없으니 말이다. 더 젊고 매력있는 애인한테 가서 재미를 보고 싶다는데 낸들 어떻게 하겠니? 자기 하고 싶은 일은 해야지, 누가 막겠니? 애야, 그래도 너한테는 이 어미가 있고 나한테는 네가 있으니까 괜찮아. 내가 네 아비 노릇까지 해 줄 테니 아무 걱정 마라. 알겠지."

그리하여 어미 캥거루는 새끼를 보살피는 데 온몸을 바치다시피 했다. 한동안 다른 어린 캥거루들과 나가서 놀게 내버려 두기도 했지만, 아이가 어떤 녀석들한테 놀림을 당하는 광경을 우연한 기회에 목격하고 나서는 생각이 달라졌다. 아무리 생각해 봐도 자기 주머니에서 더 좀 기르는 게 낫겠다 싶었던 것이다.

새끼가 제법 나이를 먹고 나서도, 어미 캥거루는 제 밥 제가 찾아 먹는 일까지 힘들어할까 봐 아이에게 훈련을 시키지 않았다. 오히려 새끼를 뱃속에 계속 넣고, 이 나무 저 나무 이 풀밭 저 풀밭 전전하면서 따먹기 좋은 먹이 앞으로 '모시고' 다니기만 할 뿐이었다. 아이는 힘 하나 안 들이고 제 어미의 주머니 안에서 편하게 밥을 먹고 잠을 자고 했다. 그리하여 녀석은 이제 제 팔자에 썩 만족을 느끼게끔 되어, 엄마한테 푹 빠져 지냈다. 그렇게 지내다 보니 아무리 나긋나긋한 아가씨 캥거루들이 꼬리를 쳐도 본 체 만 체였다.

그러나 다 자란 커다란 녀석을 주머니에 넣어 가지고 다닌다는 것이 어찌 힘드는 일이 아닐 수 있겠는가! 급기야 어미 캥거루는 창자가 빠지는 중병에 걸리고 말았던 것이다. 어미의 급작스런 죽음으로 받은 충격도 충격이었거니와, 혼자서 밥을 먹고 살아갈 능력을 미처 터득하지 못한, 이젠 '아이' 가 아닌 '어른' 캥거루는 며칠 못 가서 그만 굶어죽고 말았다.

■ 엄마 뱃속과 무덤 속은 얼마간 떨어져 있어야 좋지 않겠는가?

독수리와 궁수

사냥이라는 주제를 공통의 관심사로 가지고 있던 독수리와 궁수는 금세 아주 가까운 친구 사이가 되었다. 그리하여 독수리는 궁수를 위해 사냥감을 찾아주고, 궁수는 자기의 전리품을 독수리 친구에게 듬뿍 나눠 주곤 했다.

어느 날 궁수는 새로운 스타일의 활을 하나 만들어서 가지고 왔는데, 여태까지 제작한 활 가운데서 가장 멋진 것이었다. 게다가 아주 훌륭한 화살까지 스무 촉이나 딸려 있었다. 궁수는 자기가 만든 수제품을 자랑하려고 서둘러 친구한테 달려갔다. 독수리가 궁수의 새로운 무기에 감탄사를 연발하고 있을 때, 궁수가 무심코 한 마디 던졌다. "아, 이 화살에 어울릴 만한 멋진 깃털만 있었으면 얼마나 좋을까!" 이 말을 들은 독수리는 자기 날개에서 깃털을 한 줌 뽑아서 화살촉에 꽂으라고 재촉을 해대는 것이었다. 그러고 나서 얼마쯤 지났을까? 창공을 쳐다보던 궁수의 시야에 빙빙 크게 원을 그리면서 날고 있는 독수리의 멋들어진 자태가 들어왔다. 그런데 이게 웬일인가? 갑자기 독수리의 모습이 이세상에선 다시 못 볼 기막힌 표적으로 보였다. 궁수는 자신도 모르게 그만 화살을 쏘아 보내고 말았다. 화살은 순식간에 하늘을 가르고 날아가서 독수리의 가슴에 푹 박혔다. 독수리는 땅으로 곤두박질해 죽었고, 경솔한 궁수는 너무나 슬퍼 어쩔 줄을 몰랐다.

■ 자기가 자기한테 입히는 상처야말로 치명적이다

46 멍청한 사람들 사이에선 엽기가 재치로 통한다

농부와 여우

평생 공처가로 쥐여 살아온 한 농부가 그동안 두고두고 자기 집 닭장에 피해를 입힌 여우를 덫으로 잡았다. "이 교활한 녀석. 넌 빨리 죽이기도 아까운 놈이야. 그동안 내가 너한테 당한 걸 생각하면 아주 이가 갈려."

그 녀석한테 어떤 벌을 주어야 속이 시원할지를 한참 생각한 끝에 농부는 헝겊에 석유를 흠뻑 적셔서 녀석의 꼬리에 단단히 잡아맨 다음, 거기에다가 불을 붙였다. 그리고 나서 농부는 여우의 필사적인 원맨쇼를 즐기기 위해 길길이 날뛰는 여우를 풀어놓았다.

아, 그런데 이 놈의 여우가 추수를 앞둔 잘 익은 밀밭으로 뛰어드는 것이 아닌가! 불은 삽시간에 번져서, 농부는 여름 내내 땀 흘려 지은 농사가 바로 코앞에서 한 줌의 재로 변하는 장면을 지켜보아야 했다. 농부는 너무나 상심했다. 특히 가슴에 맺힌 마음의 상처는 몇 년이 지나도 아물 줄을 몰랐는데, 그도 그럴 것이 잊을 만하면 마누라가 나서서 모든 게 다 당신 탓이라고 잔소리를 해댔으니 말이다.

■ 멍청한 사람들 사이에선 엽기가 재치로 통한다

서울 쥐와 시골 쥐

시골 쥐가 한 마리 있었다. 그런데 이 녀석은 자기 가문에서 덩치가 가장 작은 데다가 유아기의 애정 결핍에서 비롯된 열등의식을 감추려고 안으로는 오히려 공격적인 성향을 키워온 터였다. 이 시골 쥐의 집에 어느 날 서울에 사는 사촌이 방문했다. 저녁 식사를 대접하면서 시골 쥐는 일부러 호전적인 어투로 말문을 열었다.

"변변찮은 소찬이니 네 입맛에는 안 맞겠지만 말이야. 나
도 알아. 하지만 말이야, 보리 이삭이랑 옥수수가 나한테는
딱 맞아. 낟알이 좀 거칠어야 이빨에도 좋고, 맛은 없어도
영양가가 있으니까."

"아, 그럼. 좋지, 좋고말고." 서울 쥐가 동감이라는 듯이
고개를 끄덕였다.

시골 쥐가 계속해서 자기 주장을 펴나갔다.

"그리고 말이야, 여긴 바깥 공기도 끝내준다구. 공장 매
연과 자동차 배기 가스에 전혀 오염되지 않은 신선하고 건
강한 공기란 말이야. 물론 전원의 조용하고 평화로운 분위
기도 그만이지. 좋다는 신경 안정제 한 병을 다 먹어본들 여
기 분위기는 절대 못 따라오지, 암, 못 따라오고말고!"

"그래, 네 얘기가 백 번 옳아." 서울 쥐가 말했다.

"시골의 목가적 분위기는 정말로 정서적인 안정감과 마
음의 평정을 선사해 주겠지. 사실은 나도 이번에 복잡한 도
시를 떠나려고 해. 이렇게 너네 집을 찾아온 것도 바로 그

때문이야."

"뭐라고?" 시골 쥐가 깜짝 놀라 말했다. "난 도시 구경을 직접 한번 해 보려고 했는데!"

"그렇담 나하고 같이 가서 며칠 지내 보지 그래." 서울 쥐가 이렇게 제안했다.

"하지만 미리 얘기해 둘 게 있어. 대도시라는 게 그냥 한 번 구경하기엔 좋은 곳일지 몰라도 살기엔 별로 좋은 곳이 아니야. 너도 아마 눌러 앉아서 살고 싶다는 생각은 안 들 거야."

그래서 시골 쥐는 사촌을 따라 서울에 있는 그의 집으로 갔다. 집은 한 지붕 두 가족으로 부유한 상류층 가족과 함께 쓰고 있었다. 이번에는 주인으로 입장이 바뀐 서울 쥐가 저녁 식사를 차려놓았는데, 시원한 바다가재와 새우도 있고 훈제 연어도 있고 칠면조 고기도 있고 네 가지 종류의 수입 치즈도 있고 일곱 가지 빵도 있는, 그야말로 정신을 못 차릴 만큼 으리으리한 상차림이었다. 게다가 디저트로 먹으라고 내놓은 메뉴도 다양해서 프렌치 파이와 샤베트와 아이스크

림이 있는가 하면 박하 사탕과 아몬드 과자도 준비되어 있
었다.

"야, 이건 완전히 파티잖아, 파티!" 시골 쥐의 목소리는
거의 감탄에 가까웠다.

"이걸 다 먹어? 보기만 해도 배가 불러오는데 그래!"

서울 쥐가 대답했다. "아니, 파티는 무슨. 전혀 아니야.
우린 매일 이렇게 먹어. 뭐 손님이 왔다고 해서 특별히 차린
요리는 없어. 사실 좀 섭섭한 건 주인집이 오늘은 샴페인을

준비하지 않았다는 사실이야. 하는 수 없지, 뭐. 그냥 와인 없이 식사를 하자, 응?"

"이런 생활을 마다하고 정말로 촌구석으로 가겠다고?" 시골 쥐가 못 믿겠다는 듯이 물었다.

"좋은 점만 있는 게 아니거든. 이제 너도 수시로 보게 되겠지만……."

서울 쥐가 어쩐지 침통한 어조로 말했다. 바로 그때였다. 디룩디룩 살이 찐 고양이 한 마리가 나타나는가 싶었는데, 서울 쥐는 순간적으로 외마디 비명을 질렀다.

"도망쳐! 어서!"

숨이 턱에 차서 자기 쥐구멍으로 돌아온 서울 쥐가 사촌한테 말했다.

"자, 봤지? 인제 내 말이 무슨 소린지 알겠지? 고양이가 저렇게 아무 때고 순찰을 도니 밥인들 어디 느긋하게 즐기면서 먹을 수 있겠어? 게다가 우리 주인집은 북경산 발바리까지 한 마리 길러. 이 놈이 말이야, 짖는 소리만 들어도 알만한데, 한번 물었다 하면 아마 우리 쥐 정도는 대번에 요절

이 날 거야."

"이 박하 사탕 안 먹을래?" 시골 쥐가 자랑하듯이 명랑한 음성으로 말했다. "아까 도망을 올 때 한 줌 집어 왔지."

"무시무시한 학살자가 하나 더 있어." 서울 쥐가 덧붙였다.

"그 자는 아무도 안 다니는 가장 호젓한 곳에다가 덫이나 독약을 놔 둬. 그러니까 순간순간 여기 안 걸리도록 바짝 긴장을 해야 하는 거지. 첫째도 조심, 둘째도 조심이야. 갑자기 생각지도 않았는데 아주 맛있게 보이는 이탈리안 피자 조각이 있다든지 먹음직스러운 캐비어 요리가 있다든지 하면 잘 생각해서 먹어야 해. 목숨이 아깝거든 말이야. 그러니 한번 생각해 봐. 으으, 언제나 신경을 곤두세우고 살아야 한다는 게 얼마나 으시시하고 끔찍한 일인지를."

"나, 원, 그럼 이렇게 가만 있지 말고 밖으로 뛰쳐나가서 고양이 놈의 눈에다가 그냥 침이나 한번 탁 뱉고 후딱 여기로 다시 뛰어들어오자 말이야. 저 거만한 고양이 녀석이 분해서 팔짝팔짝 뛰는 꼴을 상상해 봐. 생각만 해도 신나는 일이잖아?" 시골 쥐의 말이었다.

"안 돼. 그러지 마!" 사촌이 소리쳤다. "그 암코양이 년은 절대로 그런 모욕을 잊어먹지 않을 거야. 제발 여기 그냥 얌전히 앉아 있어. 기다리다 지치면 다른 데로 갈 테니까."

"난 이렇게 생각해. 고양이도 약올리고 개도 혼란시키고 집주인도 골탕먹이는 거야. 그 생각을 하면서 식사를 하면 한층 묘미가 더하지 않겠어?" 시골 쥐가 즐거워하며 말했다.

그래서 서울 쥐와 시골 쥐는 서로 집을 바꾸었고, 그 이후로 각자 새로운 환경에서 행복하게 잘 살았다.

■ 덕행도 그렇지만, 경쟁도 경쟁 자체가 보답이다

개구리와 황소

어미 개구리와 새끼 개구리들이 초원을 가로지르다가 황소 한 마리와 맞닥뜨리게 되었다. 엄청나게 큰 황소의 풍채를 본 아이 개구리들이 굉장히 흥분해서 저마다 한마디씩 웅성거리기 시작했다. 그 중에서 가장 나이가 어린 개구리가 소란한 공기를 가르면서 이렇게 말했다. "우리 엄마도 마음만 먹으면 저 황소만큼 커질 수 있어! 단지 엄마는 개구리다운 사이즈가 좋아서 우리한테 튀어보이지 않으려고 그냥 저만 한 크기로 계시는 거란 말이야."

이 말은 곧 형제들 사이에 엄청난 반향을 불러일으켰다. 몇 아이는 엄마의 능력에 회의적이었고, 반대로 다른 몇 아이는 엄마가 무슨 일이든 다 할 수 있다고 믿었다. 한참 옥신각신 끝에 처음에 말을 꺼냈던 그 꼬마가 이 맹꽁이 같은 논쟁을 진정시켜 달라고 엄마 개구리를 졸라댔다.

엄마 개구리는 자신에 대한 철없는 믿음에 감격한 나머지 이렇게 말했다. "응, 우리 개구리한테는 배를 부풀리는 정도야, 그저 뱃속에 공기만 끌어들이면 되니까, 누워서 파리 먹기지. 다만 저렇게 큰 모형은 아직 내가 만들어본 적이 없어서 좀 그래. 그래도 뭐 그다지 어려운 일은 아닐 거야. 한번 해볼 테니까 너희들은 내 배가 저 황소만 해지면 그만 됐다는 말이나 해 줘."

그리하여 엄마 개구리는 양껏 공기를 들이마셔서 배를 부풀리고, 그러는 동안 아이 개구리들은 개굴개굴 소리를 내면서 박수를 쳐대고 했다. 들숨만 너무 많이 들이켰던 엄마 개구리는 그만 배가 터지고 말았다. 엄마의 배가 터지면서, 아이들이 품었던 하늘같은 엄마의 모성(母性) 이미지도 함께 터져 날아가 버렸다.

■ 신발이 너무 커서 안 맞으면 다른 걸 신어 보라

에필로그

    지금까지 소개한 우화를 모두 읽고도 감정상의 문제들이 말끔히 해소되지 않고, 그리하여 독자 여러분이 마침내 정신분석가의 도움을 받으려 할 경우에 대비해, 마지막으로 우화 한 편이 더 준비되어 있다. 다음에 나오는 이야기가 바로 그것인데, 이 우화만은 〈이솝우화〉에서 줄거리를 빌려온 것이 아니라, 트이로프 교수가 독자 여러분을 위하여 직접 쓴 글이다.

귀여운 도벽광과 풋내기 정신분석가

한 젊은 아가씨가 충동적으로 남의 물건을 슬쩍하는 도벽 증세가 있었다. 처음에는 물론 이런 강박적 충동이 정신적인 만족감을 가져다 주기도 했다. 많은 값진 액세서리를 그렇게 훔쳐서 손에 넣을 수 있을 뿐만 아니라, 그런 귀중품을 돈 주고 살 만한 처지도 아니었던지라 더더욱 그런 증세를

즐기게 되었다. 그러다가, 매번 간신히 빠져나오긴 했지만,
여러 차례나 체포될 뻔한 위기를 겪고 나니, 아가씨는 자기
자신의 억제할 수 없는 충동에 급기야 겁을 집어먹지 않을
수 없었다. 그래서 어떤 정신분석가를 찾아가게 되었는데,
마침 그 의사는 젊고 경험이 거의 없는 신참이었다.

  환자가 젊고 어여쁜 아가씨라서 그렇기도 했겠지만, 무엇
보다 모처럼 일거리를 만나 한번 잘 해내고 싶다는 열망 때
문에, 의사는 아가씨의 치유 가능성에 무척 열을 냈다. "전
문 용어로 클렙토마니아, 즉 병적인 도벽(盜癖)은 비교적 간

단한 강박 증세라고 할 수 있습니다. 그건 성적인 에너지를 정상적인 방법으로 발산하는 통로를 무언가가 가로막고 있어서 발생하는 증상인 만큼, 그 방해 요소를 알아내기만 하면, 사회적으로 바람직하지 못한 아가씨의 행동도 힘 안 들이고 간단하게 바로잡을 수 있지요. 1회 상담과 진료에 40만 원씩입니다."

젊은 아가씨는 당장이라도 치료를 받고 싶은 마음이 굴뚝같지만 자기 형편이 여의치 못해서 그런 어마어마한 치료비는 물 수 없다고 말했다. 그러자 젊은 의사는 이렇게 대답했다. "아, 지금 아가씨는 치료를 받기 싫다는 반발 심리가 치료비에 대한 반발로 나타나고 있는 겁니다. 아가씨의 경우는 바로 이래서 더욱 심각하다는 것이 의사인 저의 소견입니다." 그리하여 이 아리따운 환자는 치료와 비용 모두에 동의했다.

아주 여러 번에 걸쳐, 환자가 꾸는 꿈이나 유년기의 기억, 억압된 성적 욕망 따위에 대한 토론으로 계속된 유쾌한 치료 상담을 한 끝에, 아가씨의 증세는 사라졌다. 의사는 자기가 시도한 상담 요법의 성공적인 결과에 대단히 기뻐하면서 아가씨에게 치료가 모두 끝났다는 사실을 알리고, 치료비를 청구하려 했다.

그런데 아가씨는 이렇게 말하는 것이었다. "전에는 제가 치료비를 낼 수 있었어요. 그땐 훔친 물건이 있었으니까요. 근데 저를 치료하시면서 선생님은 저한테서 치료비가 나올 돈줄까지 말려 버리셨어요. 혹시 다른 방법으로 갚아 드릴 순 없을까요?"

■ 개인의 성격이란 그야말로 종잡을 수 없는 증상을 보이는 불치병 이다

원작과 패러디와 번역

　문학의 한 양식으로 '패러디'(parody)라는 것이 있다. 학교 다닐 때 수업 시간에 배워서 잘 알고 있듯이, 줄거리는 원작을 비슷하게 흉내내되 대체로 결말 부분은 원작과 백팔십도 다르게 반전시키는 기법을 사람들은 낯익은 사물에 왠지 정감을 느끼게 되는데, 패러디의 매력도 바로 이처럼 사람들이 원작을 잘 알고 있다는 점에 있다. 이 책은 바로 그러한 패러디 우화의 전형이다.

하늘 아래 새로운 것은 없다는 말이 있다. 쉽게 말해서 천 년 전 이야기든 백 년 전 이야기든 사람 사는 세상에 의식주가 필요한 건 마찬가지 아니겠는가! 하지만 또 달리 생각해 보면, 하늘 아래 새롭지 않은 것은 하나도 없다. 시대가 변하고 장소가 변하고 주인공이 변하지 않았는가! 의식주가 필요한 건 변함이 없지만, 그 내용을 들여다보면 재료도 다르고 조리법도 다르고 포장도 달라져 있으니 말이다. 결국 인간사는 반복되지만, 항상 새롭게 반복된다고 할 수 있을 것이다. 생각이 이쯤 미치고 보니, 인간사 자체가 거대한 패러디가 아닌가 싶기도 하다.

그러니 까마귀의 어리석도록 우직한 성격과 양치기의 거짓말 습관도 시간과 공간이 달라지면 엄청나게 유익한 장점이 될 수도 있다는 이 책의 메시지는, 그래서 우리의 흥미와 관심을 끌기에 모자람이 없다.

이 책은 우리에게 지나간 '헌 천 년' 세상과 인간을 지배하던 원리가 공동의 도덕률이었다면, '새 천 년' 세상과 인간을 지배하는 원리는 개인의 가치 판단이라는 사실을 동물들이 벌이는 우화를 빌려서 우회적으로 나타내고 있다.

 사실, 이 책은 분량은 많지 않았지만, 내용이 극도로 압축
되어 있어서 옮기는 작업이 그다지 수월하지 않았다. 우선
독자들이 원작을 어느 정도까지 알고 있느냐를, 이야기가
나올 때마다 하나하나 파악해야 했다. 이는 패러디의 효과
를 극대화하는 데 대단히 중요한 문제이기 때문이다. 그래
서 원작이 충분히 알려졌다고 판단되면 내용을 과감하게 다
이어트했고, 그 반대의 경우는 조금 살을 덧붙이기도 했다.
그런가 하면 매번 이야기가 현대판으로 바뀔 때마다 나오는
정신분석의 전문 용어도 일반 독자들이 이해할 수 있는 수
준으로 '순화' 해야 했다. 이 작업도 전문성과 원작의 의도
를 훼손하지 않고 쉽게 풀어야 하는 만큼 그리 만만한 일이
아니었다. 또 하나의 고민은 내용의 '한국화' 였는데, 이는
원작의 배경이 원래 우리와 반대편이었던 관계로 최소한으
로 만족해야 했다. 그리고 내용 전체가 재미있는 우화의 연
속으로 쉽게 읽힐 수 있도록 낱말의 선택이나 문장의 처리
에 주의를 기울였다.

......

　　모쪼록 즐겁게 읽으면서 가끔 가다 삶의 지혜 한두 가지씩 건져가시기 바랍니다. 지금도 독자 여러분이 계속하고 있을 인생이라는 긴 여행에 같이 가도 싫증나지 않을 동반자가 되었으면 하는 것이 옮긴이의 작은 소망입니다. 끝으로 저서발간 연구비 지원을 통해서 이 책의 번역 작업을 도와준 경남대 관계자 분들과 모양 좋은 책으로 꾸며준 〈함께 읽는 책〉의 편집부 여러분에게 감사의 말씀을 드립니다.

2003년 7월 옮긴이 김정우